10 princípios básicos para educar seus filhos

"A maneira como os pais tratam seus filhos e reagem a eles deveria ser o resultado de um conhecimento maior e de um raciocínio inteligente e sensato sobre o que pretendem conseguir. Exercer a função de mãe ou de pai é algo que deve ser feito com amor e entusiasmo, mas que requer preparo."

"Conheci muitas crianças que sofreram porque seus pais eram egoístas ou estavam muito ocupados para atender as suas necessidades. Mas nunca encontrei uma criança que estivesse pior porque seus pais a amavam demais. Simplesmente, não é possível estragar uma criança com amor.

Mimar uma criança não é dar-lhe muito amor e carinho. Em geral, a criança mimada é aquela que recebe coisas em vez de amor – coisas como excesso de tolerância ou de objetos. As crianças se prejudicam quando os pais não impõem limites, quando esperam pouco delas não querendo pressioná-las, ou quando, em vez de afeição genuína ou atenção, dão brinquedos, comida ou presentes."

"Você tem a capacidade de influenciar a personalidade, os interesses, o caráter, a inteligência, as atitudes e os valores de seus filhos. Você pode influenciar suas preferências e aversões. Você pode influenciar seu comportamento em casa, na escola e entre seus amigos. Sua orientação pode fazer com que seus filhos se tornem bons e atenciosos ou mesquinhos e egoístas. Não há influência mais importante no desenvolvimento de seus filhos do que a sua."

"As pessoas bem-sucedidas, por mais talentosas que 'naturalmente' sejam, quase sempre trabalham mais e praticam mais do que seus colegas. Seus filhos não aprenderam isso ainda, mas é importante que o façam. Ninguém possui talento natural para tudo, e seus filhos precisam compreender que para alcançar o sucesso, em qualquer situação, tudo vai depender de dedicação e esforço. Por isso, quando você elogiar as vitórias deles, não se esqueça de valorizar o esforço que fizeram."

Laurence Steinberg

LAURENCE STEINBERG

10 princípios básicos para educar seus filhos

SEXTANTE

Título original: *The Ten Basic Principles of Good Parenting*

tradução: Sonia Maria Moitrel Schwarts

preparo de originais: Regina da Veiga Pereira

revisão: José Tedin Pinto / Sérgio Bellinello Soares

projeto gráfico e diagramação: Valéria Teixeira

capa: Raul Fernandes

fotolitos: RR Donnelley

impressão e acabamento: Bartira Gráfica e Editora S/A

CIP-BRASIL. CATALOGAÇÃO-NA-FONTE
SINDICATO NACIONAL DOS EDITORES DE LIVROS, RJ

S834d Steinberg, Laurence D., 1952-

10 princípios básicos para educar seus filhos
/ Laurence Steinberg ; tradução Sonia Maria Moitrel Schwarts.
– Rio de Janeiro: Sextante, 2005.

Tradução de: The ten basic principles of good parenting
ISBN 85-7542-169-7

1. Responsabilidade dos pais. 2. Pais e filhos.
I. Título.

05-1133. CDD 649.1
CDU 649.1

Editora Sextante (GMT Editores Ltda.)
Rua Voluntários da Pátria, 45 – Gr. 1.404 – Botafogo
22270-000 – Rio de Janeiro – RJ
Tel.: (21) 2286-9944 – Fax: (21) 2286-9244
E-mail: atendimento@esextante.com.br
www.sextante.com.br

10 princípios básicos para educar seus filhos

1. O que os pais fazem é importante
2. O seu amor jamais será excessivo
3. Participe da vida de seus filhos
4. Adapte seu modo de tratar seus filhos às características de cada um
5. Estabeleça regras e coloque limites
6. Ajude seus filhos a se tornarem independentes
7. Seja consistente
8. Evite castigos severos
9. Explique suas regras e decisões
10. Trate seus filhos com respeito

Sumário

PRINCÍPIO 3
Participe da vida de seus filhos 52

PRINCÍPIO 4
Adapte seu modo de tratar seus filhos às características de cada um 69

PRINCÍPIO 5
Estabeleça regras e coloque limites 91

PRINCÍPIO 6

Ajude seus filhos a se tornarem independentes 110

PRINCÍPIO 7

Seja consistente 129

PRINCÍPIO 8

Evite castigos severos 144

PRINCÍPIO 9

PRINCÍPIO 10

Seja um pai ou uma mãe melhor

Quando as pessoas descobrem que sou um pai e um psicólogo que há anos pesquisa a maneira de agir dos pais e das mães, muitas vezes me perguntam se o que aprendi como pesquisador me ajudou a ser um pai melhor. Respondo com muita convicção que sim. É como perguntar a um cozinheiro se o fato de ter estudado para cozinhar profissionalmente o estimulou a preparar melhores pratos em casa. Como tudo o mais, saber exercer bem a função de pai ou de mãe requer conhecimento.

Venho estudando pais e filhos há 25 anos. Já publiquei diversos livros e centenas de artigos sobre a função dos pais e o desenvolvimento das crianças, e sou o editor responsável por artigos que tratam do relacionamento entre pais e filhos para a revista científica de maior prestígio na área da psicologia infantil. Como pai, sempre que me senti inseguro ou tive dúvidas, consegui buscar a solução refletindo sobre o que aprendi com as inúmeras famílias que estudei e os milhões de relatórios que examinei.

Agora vou compartilhar esse conhecimento com vocês.

Este livro é diferente de todos os outros que falam sobre a função dos pais, porque se fundamenta em milhares de pesquisas bem elaboradas – e tão confiáveis quanto aquelas que se destinam a testar novas drogas, projetar carros mais seguros e construir edifícios mais sólidos. As orientações aqui contidas se baseiam em décadas de pesquisas sistemáticas, abrangendo centenas de milhares de famílias. O que fiz foi resumir e relatar, em linguagem simples e acessível a todos, o que os especialistas aprenderam. São os 10 princípios básicos para educar os filhos.

Em geral, não pensamos na educação de filhos como ciência. Mas, na realidade, psicólogos infantis e diversos outros especialistas vêm estudando este assunto há cerca de 75 anos. Esta é uma das áreas mais bem pesquisadas de todo o campo das ciências sociais. As evidências científicas que relacionam certos princípios básicos com o desenvolvimento saudável de uma criança são tão claras e coerentes que podemos afirmar, com segurança, que sabemos o que funciona e o que não dá certo.

Para a maioria das pessoas, educar os filhos é algo que se faz sem de fato se pensar muito a respeito. Elas agem como se tivessem nascido com esse conhecimento, ou simplesmente reproduzem o que seus pais fizeram com elas. Além do mais, no corre-corre do cotidiano, muitas vezes as circunstâncias não nos permitem pensar. Não podemos dar-nos ao luxo de parar para decidir sobre qual seria a melhor maneira de agir quando estamos apressados de manhã tentando aprontar os filhos para levá-los à escola, ou separando dois irmãos que estão se engalfinhando no banco de trás do carro, ou tentando acalmar um bebê que está chorando com cólica há mais de meia hora. São inúmeras as ocasiões em que tudo o que conseguimos fazer é reagir direcionados apenas por nossos instintos. Mas se tivermos melhor compreensão do que funciona e do motivo pelo qual funciona, com um pouco de prática nossos instintos certamente melhoram.

Entretanto, existem diversas situações em que você tem tempo para pensar: quando está colocando seu filho pequeno na cama na véspera de seu primeiro dia na escola; quando sua filha que está no terceiro ano lhe entrega um boletim fantástico; quando sua filha adolescente está triste porque suas amigas a ignoraram; enquanto espera seu adolescente que chega em casa depois da hora combinada. Nesses momentos, você tem tempo para pensar sobre o que fazer antes de agir, e suas atitudes deverão ser guiadas pelas informações sobre como lidar com as diversas situações da melhor maneira. Quanto mais você praticar, com base no que vou lhe ensinar, mais naturais e eficazes serão as suas atitudes.

Uma das mais encorajadoras descobertas nas pesquisas sobre o desenvolvimento da criança é o fato de que os princípios básicos para ser um bom pai ou uma boa mãe e criar filhos felizes e saudáveis são os mesmos, não importa se você tem um filho ou uma filha, se ele ou ela tem 6 ou 16 anos, se é filha ou filho único, se é gêmeo ou se possui vários irmãos. Esses princípios são os mesmos ainda que o papel predominante seja exercido pelo pai, pela mãe ou por alguma outra pessoa. Isso foi confirmado por estudos feitos em diversas partes do mundo com diferentes grupos étnicos e raciais, com famílias pobres e famílias ricas, com famílias com pais casados, separados ou divorciados. Os mesmos princípios são válidos para pais biológicos ou adotivos; para pais com filhos normais ou cujos filhos necessitam de cuidados especiais. Eles também servem para pessoas que trabalham com crianças, como professores, treinadores, orientadores e terapeutas. Posso afirmar isso baseado em anos de experiência.

Pode-se definir um bom pai ou uma boa mãe como alguém capaz de transmitir aos filhos valores como honestidade, empatia, autoconfiança, bondade, cooperação, autocontrole e alegria. Ser um bom pai ou uma boa mãe significa ajudar os filhos a serem bem-sucedidos na escola, promover o desenvolvimento da curiosidade intelectual, motivar o aprendizado e o desejo de realizar seu potencial. Significa desencorajar um comportamento anti-social, a delinqüência, o desrespeito aos outros, o uso de bebidas alcoólicas e de drogas. Ser bom pai ou boa mãe é evitar que os filhos se tornem ansiosos, deprimidos, portadores de disfunções alimentares e de outros tipos de estresse psicológico. É dar aos filhos condições para que se tornem seres saudáveis e felizes.

Na minha experiência, a maioria dos pais de todos os estratos sociais quer que seus filhos sejam felizes, seguros, respeitosos, responsáveis, solidários, academicamente bem-sucedidos, socialmente aceitos e realizados. Porém, nem todos sabem como alcançar esses objetivos. É isto o que este livro vai lhe ensinar.

Não posso garantir que se você seguir os princípios apresentados neste livro seus filhos não terão problemas, jamais serão reprovados em um teste na escola ou nunca vão se envolver em confusões. Para dizer a verdade, eu não confiaria em um escritor de livros sobre educação infantil que fizesse tal promessa. Além dos pais, as crianças são influenciadas por muitas outras forças, entre elas a sua constituição genética, seus irmãos, seus amigos, suas escolas, os adultos com que se relacionam fora da família e os meios de comunicação de massa.

Mas *posso* garantir que as crianças educadas segundo os 10 princípios que apresento neste livro mostram-se bem mais propensas a desenvolver hábitos saudáveis e muito menos inclinadas a desenvolver comportamentos problemáticos do que as crianças educadas de outra forma. Esta não é uma opinião. É um fato corroborado por fortes evidências.

Este livro foi escrito tanto para os pais que estão apenas começando quanto para aqueles cujos filhos já estão na adolescência. Ele será de grande utilidade tanto para os que se julgam bons pais (e que talvez, de fato, o sejam) quanto para aqueles que se sentem perdidos e acham que precisam de ajuda. Eu o escrevi para ajudar a apaziguar disputas sobre a educação das crianças entre cônjuges ou conflitos entre filhos adultos e seus pais. Para tranqüilizar os bons pais que estão agindo de forma correta e dar aos pais equivocados a orientação de que precisam para mudar.

Ainda não conheci uma mãe ou um pai que seja perfeito o tempo todo. Podemos sempre melhorar os nossos percentuais de acertos. E tenham certeza: criar filhos felizes é investir na própria felicidade.

PRINCÍPIO 1

O que os pais fazem é importante

Aja de maneira consciente

Aposto que vocês, pais, já pensaram muito sobre o que gostariam que seus filhos se tornassem, mas provavelmente não dedicaram o mesmo tempo para pensar no que deveriam estar fazendo para que isso, de fato, venha a acontecer.

Você, por exemplo, quer que sua filha de 10 anos se saia bem na escola, mas talvez não tenha noção do que deveria fazer para que ela obtenha sucesso nos estudos. Ou talvez você deseje que seu filho caçula conviva bem com as outras crianças, mas não sabe o que fazer para que isso aconteça. Você quer que seus filhos sejam intelectualmente curiosos, mas não tem a menor idéia de como deveria proceder para estimulá-los nessa direção.

O objetivo deste livro é contribuir com os pais em sua função de criar filhos, transmitindo-lhes informações e orientações provenientes de milhares de pesquisas e que, aplicadas na prática, produziram excelentes resultados.

No entanto, antes de abordar temas específicos, quero estabelecer a diferença entre uma mãe e um pai conscienciosos e aqueles que simplesmente seguem modismos e reagem ao que os filhos fazem. Quando falo em mãe e pai "conscienciosos", estou me referindo àqueles que agem conscientemente e obtêm os resultados que de fato buscavam, e não resultados que aconteceram apenas por acaso.

Digo sempre aos pais: esforcem-se para serem conscienciosos.

Os atos conscienciosos podem perfeitamente ser espontâneos, sinceros ou naturais. Ter uma atuação conscienciosa não significa angustiar-se a cada decisão tomada ou analisar a fundo cada um dos seus comportamentos com seus filhos a ponto de paralisar-se. O que quero dizer é que a maneira como os pais tratam seus filhos e reagem a eles deveria ser o resultado de um conhecimento maior e de um raciocínio inteligente e sensato sobre o que pretendem conseguir. Exercer a função de mãe ou de pai é algo que deve ser feito com amor e entusiasmo, mas que requer preparo. É incrível constatar que, para exercer qualquer profissão, estudamos e nos preparamos durante anos, e que, no entanto, exercemos a mais preciosa das profissões – criar filhos – na base do improviso ou do que aprendemos com nossos pais. Acabamos muitas vezes reproduzindo comportamentos de que nos queixamos e que nos deixaram marcas dolorosas.

Em geral, os pais se encontram em uma destas três situações:

A primeira é aquela em que eles têm bastante tempo para pensar no que querem fazer, antes de agir. É o melhor momento para serem conscienciosos. Talvez você esteja escolhendo entre vários jardins-de-infância para sua filha de quatro anos, talvez esteja pensando se obriga seu filho adolescente a continuar com as aulas de piano, embora ele já tenha dito que quer parar. Você pode estar se perguntando se sua filha já tem idade suficiente para sair com as amigas à noite, ou se seu filho adolescente já é suficientemente responsável para pegar um emprego de meio expediente durante o ano letivo. Você pode estar tentando decidir como responder ao pedido de uma mesada semanal, de permissão para colocar um piercing ou para comprar uma roupa de grife que lhe parece totalmente desnecessária.

Em todos esses exemplos, você deveria aproveitar a oportunidade para de fato refletir antes de tomar uma decisão. Pergunte-se: como será que a minha atitude afetará meus filhos? Os pais conscienciosos – aqueles que antes de agir realmente *refletem* sobre o que desejam conseguir – poderão analisar mais profundamente o problema e até pedir orientação ou discutir com outros pais para então decidirem com mais segurança o que é melhor para a vida de seus filhos. Assim, a decisão não corre o risco de ser impulsiva.

A segunda situação é aquela em que os pais precisam reagir na hora, sem muito tempo para pensar antes de responder ou agir. Sua filha de dois anos recusa-se a comer o que lhe foi servido no jantar. Seu filho de seis anos foi suspenso pela segunda vez da escola. Sua filha de 12 anos telefona para o seu trabalho e pergunta se depois da aula ela e uma amiga podem ir ao shopping de ônibus. Seu filho adolescente chega em casa de uma festa e conta que os outros jovens estavam bebendo. Nessas ocasiões é impossível dizer: "Será que posso lhe dar uma resposta amanhã?" Mas você pode pensar uns segundos antes de responder, e quanto mais informações tiver, mais fácil será a reação.

Nesses tipos de situação, pais conscienciosos conseguirão não reagir impulsivamente ("Coma tudo o que estiver no seu prato, senão você não vai comer sobremesa", "Se for suspenso mais uma vez, não viajará conosco nas férias", "Não, você ainda é muito criança para andar sozinha", "Você está proibido de se encontrar com esse pessoal outra vez"). Pais conscienciosos poderão analisar a situação e reagir de acordo com os princípios que vamos discutir neste livro.

O terceiro tipo de situação é aquela em que os pais não têm tempo para pensar, e a única opção é seguir os próprios impulsos. Seu bebê está esperneando e gritando na seção de congelados do supermercado. Seu filho de sete anos está prestes a estrangular o irmão de cinco. Seu filho de nove anos está tão ansioso com a ida para a colônia de férias que não consegue se vestir, embora o ônibus vá chegar a qualquer minuto. Você se levanta no meio da noite para pegar um copo de água e sente cheiro de maconha vindo do quarto de seu filho adolescente.

Nessas situações, pais conscienciosos reagiriam impulsivamente, mas com toda a probabilidade seus instintos estariam corretos, porque já conhecem os princípios básicos e os vêm empregando muitas vezes. A aplicação freqüente desses princípios cria uma sabedoria que permite que ajam de forma adequada em situações críticas.

Os superatletas apresentam um bom desempenho porque treinaram muito. Da mesma forma, as pessoas que realmente assimilaram as regras básicas para serem bons pais são capazes de agir da melhor maneira, mesmo quando não têm tempo para encontrar uma resposta lógica.

Quanto mais você se esforçar para deliberadamente praticar os princípios, mais instintivo será o seu desempenho. Por isso é importante começar a praticar quando seus filhos ainda são pequenos. Isto não significa que não haja benefícios quando os filhos são mais velhos – nunca é tarde para melhorar –, mas seguramente você dará uma base emocional sólida a seus filhos se praticar os princípios desde o seu nascimento.

Volto a dizer: não passaria pela sua cabeça dirigir um negócio ou supervisionar uma organização sem um preparo especial. Você não tomaria (nem deveria tomar) decisões sobre suas finanças impulsivamente. Sabemos que, antes de efetuarmos compras importantes como casas, carros e eletrodomésticos, devemos examinar e analisar com atenção todas as nossas opções. No entanto, muitas pessoas – empresários atentos, excelentes planejadores financeiros e consumidores inteligentes – exercem a função fundamental de criar seus filhos sem jamais parar para pensar no que estão fazendo.

Acho que algumas pessoas acreditam que o exercício da

função de pai ou de mãe seja algo que fazemos naturalmente e que não vale a pena pensar sobre isso. Porém, para falar a verdade, raramente conheci pais "naturais". Conheci pais que têm consciência do que fazem e conheci pais que improvisam. Os resultados com os filhos são bastante distintos. Quando você age de maneira consciente, seus filhos provavelmente são mais bem ajustados e felizes, trazendo alegria para toda a família.

Os genes não tiram a importância dos pais

Cada vez mais se fala na influência da genética na formação dos seres humanos. Isso pode nos levar a questionar se o desempenho dos pais fará alguma diferença na formação da personalidade e do caráter dos filhos. Mas há uma grande diferença entre dizer que os genes têm importância (o que é verdade) e dizer que, portanto, os pais não fazem a menor diferença (o que não é verdade).

O fato de os filhos herdarem tendências em algumas direções é inquestionável. Algumas crianças tendem a ser mais agressivas do que outras; algumas, mais tímidas. Algumas crianças são geneticamente mais predispostas à extroversão; outras, à introversão. Porém, há uma grande diferença entre afirmar que a personalidade de uma criança é *influenciada* por seus genes e afirmar que ela é *determinada* por eles.

Vou dar um exemplo do que quero dizer. Todos conhecemos pessoas com tendência para engordar, e outras que podem comer o quanto quiserem sem ganhar um único quilo. Mas isso não significa que o primeiro tipo esteja destinado a ser obeso, e que o segundo inevitavelmente seja magro como um palito. Isso quer dizer que, para evitar tornar-se obesa, a primeira pessoa precisará cuidar mais da alimentação e se exercitar mais do que a segunda. Da mesma forma, uma pessoa geneticamente predisposta à timidez pode aprender a ser mais extrovertida, mas isso exigirá um esforço maior do que o de alguém que possua uma carga genética diferente.

Essa lógica se aplica à educação das crianças. A maneira pela qual uma criança é criada influencia a forma pela qual sua natureza genética irá se manifestar. Com certeza seria difícil (mas não impossível) transformar uma criança com uma herança genética de timidez numa criança agressiva, ou vice-versa. Mas a possibilidade de uma criança que já nasce com uma predisposição à agressividade se tornar o terror do playground ou uma pessoa agradável será determinada pela maneira como ela é educada, e não por seus genes. O ambiente determinará se a tendência genética à timidez a fará ser doentiamente retraída ou apenas mais introvertida do que as outras crianças. As crianças que nascem geneticamente predispostas à agressividade precisam apenas de um pouco de ajuda de seus pais para aprenderem a se controlar, e aquelas que demonstram tendência à timidez precisam apenas de um pouco de estímulo para superar a sua introversão. Em outras palavras, a manifestação da herança genética de seu temperamento depende da maneira pela qual a criança é educada, e não apenas do seu DNA.

O que estou enfatizando é que seu desempenho como pai ou como mãe é de extrema importância, porque é a sua influência que irá afetar a manifestação desses genes. Por exemplo, sabemos que os genes influenciam a inteligência das crianças, mas sabemos também que os filhos se beneficiam intelectualmente do fato de os pais lerem para eles regularmente.

Você tem a capacidade de influenciar a personalidade, os interesses, o caráter, a inteligência, as atitudes e os valores de seus filhos. Você pode influenciar suas preferências e aversões. Você pode influenciar seu comportamento em casa, na escola e entre seus amigos. Sua orientação pode fazer com que seus filhos se tornem bons e atenciosos ou mesquinhos e egoístas.

Não há influência mais importante no desenvolvimento de seus filhos do que a sua. Nem mesmo os genes são tão decisivos.

O que os pais fazem é importante.

Repita isso todos os dias.

As crianças aprendem observando

Você já se ouviu dizendo para seus filhos algo que seus pais lhe disseram na infância? Já percebeu que toma as mesmas atitudes e muitas vezes tem as mesmas opiniões e hábitos de seus pais quando você era criança, embora tenha jurado que se tornaria diferente deles?

Agora que você é pai ou mãe, as coisas se inverteram. Seus filhos estão aprendendo com as suas expressões, suas opiniões e seus hábitos da mesma forma que você aprendeu com seus pais. E na maioria das vezes, nem você nem seus filhos percebem que estão fazendo isso. Pode ter certeza: você está no palco o tempo todo e seus filhos estão ali na platéia, bem na primeira fila.

As crianças chegam ao mundo prontas para copiar o comportamento de seus pais. Não há nada que os pais possam fazer para impedir isso. A capacidade que elas possuem de imitar os pais é tão incrível que os cientistas agora acham que isso faz parte do nosso desenvolvimento histórico como seres humanos. Se você, leitor, pegar um bebê de apenas poucos dias, segurá-lo de forma que ele possa focalizar o seu rosto e, a seguir, puser a sua língua para fora, ele moverá a própria língua. Talvez ele ainda não tenha o controle muscular para mover a língua da mesma maneira, mas se prestar bastante atenção você verá que ele está tentando imitar o seu movimento. Imitar adultos, em especial os pais, é parte integrante do que somos. Na verdade, muito antes de demonstrarem capacidade para aprender o que os outros estão tentando lhes ensinar, as crianças já são capazes de aprender apenas observando.

No entanto, observar os pais não significa apenas imitá-los. Uma das maneiras pelas quais as crianças aprendem sobre o mundo é percebendo o comportamento dos adultos que as cercam. Mesmo antes de poderem falar, os bebês monitoram seus pais em busca de sinais que indiquem se eles estão seguros ou em perigo. Quando um estranho chega perto do bebê – por exemplo, a mãe e ele estão na rua e alguém se aproxima para dizer que ele é uma gracinha –, em geral o bebê olhará para a mãe antes de "decidir" se vai se preocupar ou se inquietar. Se a mãe parecer ansiosa ou nervosa, ele provavelmente chorará, o que não irá acontecer se a mãe parecer feliz e satisfeita. Da mesma forma, quando está engatinhando pela casa, um bebê de oito meses freqüentemente pára e olha para trás aguardando um sinal da mãe para continuar seu passeio. Ele não está apenas se assegurando da presença da mãe; está tentando "ler" sua fisionomia para saber se pode prosseguir com segurança.

Que tipo de sinais você envia quando seus filhos estão explorando o próprio mundo?

Nem sempre os pais percebem as mensagens sutis que transmitem a seus filhos através de seus atos e de sua emoções. Se um menino de cinco anos está subindo numa árvore, uma expressão de medo no rosto do pai não lhe diz apenas que *o pai* está com medo, mas que *ele* deveria estar com medo. Se o pai ficasse debaixo da árvore com um sorriso no rosto, seu filho deduziria algo completamente diferente. O pai o estaria protegendo e incentivando. Esta é uma das razões pelas quais pais ansiosos muitas vezes geram crianças ansiosas. A ansiedade não é herdada apenas (ela é, em parte), mas também é contagiosa. As crianças são muito suscetíveis às emoções que seus pais transmitem.

Ao ficarem mais velhos, em várias situações, os filhos observam seus pais em busca de orientação, e não apenas para distinguir entre o que é seguro e o que não é. Se, por exemplo, os filhos muitas vezes vêem seus pais resolvendo desavenças com gritos e urros, ou mesmo com brigas corporais, eles passarão a achar que a agressão física é a melhor maneira para resolver disputas com outra pessoa. No entanto, se os pais raramente levantam a voz um para o outro, os filhos provavelmente não recorrerão a este tipo de comportamento na convivência com outras pessoas. Os pais que dizem para seus filhos não baterem uns nos outros, mas que são fisicamente agressivos, podem ficar surpresos ao descobrir que seus filhos imitam essa característica em seus relacionamentos com amigos, conhecidos e membros da família. Este é um dos motivos que fazem com que crianças que tenham sofrido abusos físicos mais facilmente se tornem violentas em seus casamentos e agridam seus próprios filhos.

Como possuem um desejo forte, quase inato, de se tornarem iguais aos pais, os filhos tendem a copiar o comportamento deles. Você pode constatar a força desta tendência ao espreitar crianças imitando os pais enquanto brincam. Muitas vezes, elas repetem literalmente o que ouvem deles. Quando essas palavras são espirituosas ou sábias, você sorri e sente orgulho, mas quando são agressivas e entremeadas de palavrões, sua reação será diferente. Observe e reconheça seus comportamentos nos comportamentos dos seus filhos.

A maioria dos pais subestima o quanto seus filhos observam o que eles fazem e dizem. Muito comumente esquecemos do quanto eles estão nos ouvindo, mesmo quando preferiríamos que não estivessem. Mas as crianças possuem um talento extraordinário para parecerem absortas em seus próprios pensamentos quando, na realidade, estão ligadas a tudo o que se passa ao redor. Você pode achar que seu filho está absorvido de tal forma em seu livro que não ouve vocês discutirem a precária situação financeira da família. Não tenha dúvida: ele está prestando atenção ao que vocês dizem e ao tom de voz, mesmo que não consiga entender o significado de tudo. Se houver um sinal de ansiedade ou de tensão na conversa, ele o captará.

E não pense que os filhos só observam os pais quando estão em casa. Fora de casa, eles os espreitam e aprendem também com seu comportamento. Seus filhos observam você na fila do supermercado, quando você fala com o porteiro do prédio, quando faz alguma reclamação e quando conversa com os pais dos amiguinhos deles no playground. Se você trata os outros com delicadeza, gentileza e cordialidade, eles provavelmente farão o mesmo. Se você é rude, desagradável e arrogante, eles aprenderão que esta é a maneira correta de tratar os outros. É observando os pais que eles aprendem a se relacionar com as outras pessoas.

Esse aprendizado por observação continua durante toda a infância e a adolescência. Ao ficarem mais velhos, os filhos tendem a imitar seus pais de maneira menos explícita e o fazem de formas mais sutis. Mesmo que ele pareça não estar pensando em você, seu pré-adolescente ou adolescente sabe perfeitamente como você gasta o seu tempo livre, como se diverte e como lida com o estresse. Os adolescentes adoram verificar a diferença entre o que os pais dizem e o que, na verdade, fazem. Se os filhos vêem o pai beber demais para enfrentar problemas, os sermões sobre os perigos da bebida causarão pouco ou nenhum impacto no comportamento deles.

Isso não quer dizer que os filhos sempre se tornam cópias fiéis de seus pais. Embora para eles os pais sejam os mais importantes modelos de comportamento, não são os únicos. As crianças aprendem com outros membros da família, com seus coleguinhas e com o que vêem na televisão. Mas pode ter certeza: elas prestam muito mais atenção nos pais do que em qualquer outra pessoa, sobretudo antes da adolescência.

Você pode achar que não tem problema resolver as questões aos gritos, salpicar palavrões em sua fala, fazer comentários preconceituosos, gabar-se de fraudar seus impostos e, de vez em quando, beber além da conta. Mas, por favor, não faça essas coisas na frente de seus filhos.

Você pode viver seus medos e ansiedades irracionais, mas não existe motivo para transmiti-los a seus filhos.

Repito: as crianças aprendem muito mais observando os pais do que ouvindo seus sermões. Por isso, tenha muito cuidado com o que diz e o que faz quando seus filhos estiverem por perto porque, queira ou não, é observando os pais que eles aprendem.

Como lidar com as influências externas

Como enfatizei há pouco, o fato de serem a mais importante influência para seus filhos não significa que os pais são a *única* influência. Os colegas de colégio, os amigos, os programas de televisão também afetam o comportamento deles.

O que os pais podem fazer frente à grande variedade de influências a que as crianças são expostas fora da família?

Deixe-me responder a esta pergunta dizendo primeiro o que você *não* deve fazer.

Não se lamente declarando-se impotente diante dessas forças externas. Isso simplesmente não é verdade.

Não culpe o melhor amigo ou a melhor amiga, o namorado ou a namorada, dizendo que eles são totalmente responsáveis pelo mau comportamento de seus filhos. As crianças não escolhem seus amigos ao acaso, e os pais influenciam as escolhas que elas fazem.

Não culpe as redes de televisão, os tipos de música nem a Internet pelo comportamento de seus filhos. Se você não concorda com o que eles vêem, ouvem ou com os sites que acessam, há muitas maneiras de exercer sua influência.

Não se pode negar que, na educação das crianças de hoje, os grupos de amigos e os meios de comunicação de massa exercem uma influência muito maior do que no passado. Com um número cada vez maior de mães trabalhando fora em horário integral, as crianças passam mais tempo com crianças da mesma idade e ligadas a meios eletrônicos. Hoje em dia, a variedade de opções de mídia disponíveis aos jovens 24 horas por dia, sete dias por semana, é surpreendente.

Além disso, na maior parte do tempo em que estão com os amigos ou ligadas na mídia, as crianças são pouco supervisionadas. As crianças norte-americanas em idade escolar, na grande maioria, possuem uma televisão no quarto, onde podem assistir ao que quiserem, quando quiserem.

É por isso que os pais fazem o possível para se eximir de culpa e tentar encontrar responsáveis pelos problemas de seus filhos. Que resposta seria mais conveniente do que dizer que a excessiva agressividade de seu filho é causada por um excesso de jogos eletrônicos ou que sua filha usa drogas por causa da má influência de seu grupo de amigos?

Quero apenas insistir: as escolhas e decisões de nossos filhos são influenciadas por nós, pais.

Bem, eu já lhe disse o que você *não* deve fazer. Vamos agora ao que você *deve* fazer.

Tente entender que é a forma como os pais administram o lazer de seus filhos e o tempo que eles passam com os amigos que os distinguem como pais. Se os pais não quiserem ser suplantados pelas influências externas, não devem deixar essas atividades totalmente a critério dos filhos.

Quando as crianças são pequenas, os pais controlam suas amizades aproximando-as de outras com as quais gostariam que elas brincassem e afastando-as daquelas de que não gostam. Na escola, elas terão coleguinhas de todos os tipos, mas os pais têm o poder de decidir com que crianças seus filhos podem brincar depois das aulas e nos fins de semana. Com o passar do tempo, essas escolhas fazem os filhos perceberem as preferências e aversões dos pais. Não sinta vergonha de elogiar as crianças que você considera influências positivas ("Eu gosto muito da Júlia – ela é tão simpática" ou "Estou muito contente por você ter feito amizade com o Miguel – ele me parece um menino legal e divertido"). Embora nunca seja tarde demais para tentar influenciar a escolha das amizades de seus filhos, isso se torna muito mais fácil quando você começa cedo.

Quando estiverem no ensino fundamental, matricule seus filhos em atividades capazes de colocá-los em contato com crianças que demonstrem um interesse saudável pela escola, pelos esportes e pela arte. É muito bom poder proporcionar aulas particulares de música, de dança ou de um determinado esporte, mas lembre-se de que as atividades em grupo servem para ajudar seus filhos a fazerem boas amizades. Certifique-se de que sabe quem são seus amigos. Se não tiver certeza, indague na escola, pois os professores são ótimas fontes de informação a esse respeito. E continue a fazer comentários sobre os amigos que você admira e sobre os que rejeita, não num tom de julgamento, mas comentando sobre atitudes e valores. Entretanto, não se esqueça de que, ao influenciar os *interesses* de seus filhos, você os ajuda a formar seu círculo de *amizades*. Na maioria das vezes, essa abordagem indireta funciona mais do que uma tentativa direta de aprovação ou desaprovação dos colegas.

Nessa idade é importante manter-se firme sobre a forma como seus filhos ocupam o tempo livre, porque isso terá um efeito maior na escolha de amigos. Se sua filha adora uma determinada atividade extracurricular saudável, seja ela qual for, estará menos propensa a se associar a amigos que possam desviá-la para o caminho errado.

Quando seus filhos estiverem na adolescência, continue a influenciar suas amizades direcionando-os para atividades que de fato os interessem. Além disso, conheça seus amigos e não sinta vergonha de falar abertamente sobre aqueles por quem você nutre simpatia e sobre os que não lhe agradam tanto. Não deixe de apresentar um bom motivo ou de ter alguma evidência que justifique sua apreciação: "Eu gostaria que você não se desse tanto com a Susana – ela parece estar sempre se envolvendo em confusões na escola." Não espere que seu filho adolescente vá abandonar uma amizade só porque você manifestou uma ocasional opinião negativa. Mas se a sua mensagem for consistente e se seus filhos tiverem com você uma relação de confiança, pouco a pouco a mensagem será absorvida. Mais uma vez, é bom começar esta prática desde cedo. E, é óbvio, não deixe seus filhos se relacionarem com crianças que você julgue realmente perigosas.

Você deve também controlar o tipo de mídia que chega até eles. Os meios de comunicação não exercem tanta influência quanto os pais ou os amigos, mas as crianças são influenciadas pelos programas de televisão, pelos vídeos e filmes a que assistem, em especial no que se relaciona à violência. As crianças que assistem a programas com conteúdo muito agressivo ou que passam muito tempo ocupadas com jogos eletrônicos violentos tendem a apresentar um comportamento agressivo. (Em relação às músicas de conteúdo violento, os efeitos não são tão evidentes assim.) E lembre-se de que a quantidade de tempo é importante: quanto maior for a exposição, maior será a agressividade.

Nenhuma razão impede você de limitar o tempo que seus filhos passam em frente à televisão ou a uma tela de jogos, nem de restringir o conteúdo do que eles vêem ou jogam. Se você coloca uma televisão no quarto dos seus filhos e não estabelece o que é permitido assistir nem estipula o número de horas, não tem o direito de reclamar da influência nociva que ela estará exercendo no comportamento e no desenvolvimento deles. Se seus filhos possuem seu próprio computador, você pode facilmente equipá-lo com filtros que bloqueiem sites pornográficos ou violentos.

Para conseguir manter a sua autoridade ante as poderosas forças externas, é fundamental compreender até que ponto a sua opinião é levada em conta na maneira pela qual seus filhos escolhem seus amigos e atividades. Em vez de se achar impotente diante dessas influências avassaladoras, você deverá pensar que é o poder dessas forças externas que exige que o seu envolvimento seja tão decisivo. A existência desses fatores externos faz com que os pais sejam mais importantes do que nunca.

Você se preocupa com a possível influência negativa dos amigos ou da mídia na formação da personalidade de seus filhos? Se a resposta é sim, não se desespere nem fuja das suas responsabilidades. Exerça a sua autoridade de pai ou de mãe – é para isso que os pais existem.

Aprenda com os seus erros

Como pais, todos cometemos erros. Somos ríspidos com nossos filhos quando nos sentimos cansados ou estressados, e nos esquecemos de perguntar o que está acontecendo na escola quando estamos preocupados com o nosso próprio trabalho. Às vezes somos excessivamente tolerantes porque estamos exaustos demais para fazer cumprir as regras estabelecidas, ou somos muito severos porque estamos de mau humor. Ninguém consegue ser perfeito o tempo todo.

Quando você cometer um erro, não se mortifique. Seus filhos não ficarão traumatizados porque você perdeu a paciência, se esqueceu de elogiar um trabalho escolar, discutiu feio com seu marido ou sua mulher quando eles estavam por perto, ou não compareceu a um jogo de futebol importante. As crianças são muito mais afetadas pelas condições permanentes do ambiente em que vivem do que por acontecimentos isolados, mesmo que sejam muito intensos. O que importa é a atmosfera geral a que a criança fica exposta ao longo do tempo. As crianças raramente são influenciadas por decisões individuais ou acidentais, a não ser que estas sejam muito traumáticas. E, mesmo diante de um trauma, elas são mais resistentes do que pensamos.

Por isso, em vez de se culpar, perceba seus erros e aprenda com eles. Quando você toma consciência das razões que levaram a cometer o erro, pode evitar as situações que geraram aquela atitude, conter-se numa próxima vez e sobretudo não deixar que esse tipo de comportamento ofensivo se torne uma prática freqüente no ambiente doméstico de seus filhos. Se eles tiverem idade para entender, peça-lhes desculpa, reconhecendo o erro e explicando suas razões. É o maior favor que você pode prestar-lhes.

As circunstâncias que geram atitudes erradas com seus filhos variam de pessoa para pessoa. Por isso é importante que você se conheça bem para saber quais são seus pontos vulneráveis. Alguns pais descobrem que agem pior quando se sentem pressionados – isso tende a torná-los impacientes ou desatentos. Se você descobrir que comete erros nessas situações – que essas são as ocasiões nas quais você possivelmente diz ou faz algo de que vai se arrepender mais tarde –, aprenda a evitar tomar decisões quando o ambiente doméstico estiver turbulento. Se algum de seus filhos lhe pedir algo quando você estiver com pressa, aprenda que nessas ocasiões a melhor resposta é "Gostaria de pensar um pouco sobre isso – vamos conversar mais tarde". Se ele exercer pressão para ter uma resposta imediata, não a dê, a não ser que seja absolutamente necessário (por exemplo, se ele está lhe pedindo permissão para fazer um passeio com a escola, marcado para aquele mesmo dia). Mas, se isso começar a acontecer com freqüência, diga-lhe que é absolutamente necessário fazer a consulta de véspera, pois ele corre o risco de receber um "não" se o tempo para pensar for escasso.

O mesmo se aplica a pais que não desempenham bem a sua função quando estão preocupados com outras coisas. Você pode ter um relatório importantíssimo para ser entregue com urgência, pode estar atravessando uma crise conjugal ou preocupado com um parente enfermo. A maioria das pessoas tem dificuldade em concentrar-se nos filhos nestes momentos. Se este é o seu caso, conscientize-se de que sua atenção está desviada para outros problemas e faça um esforço para atender à demanda dos filhos. Algumas vezes, basta esta tomada de consciência para conseguirmos pôr de lado aquele problema temporariamente.

Se a sua dificuldade de exercer a função de pai ou de mãe está associada ao cansaço, diga a seus filhos que naquele momento – quando você chega em casa depois de um dia exaustivo de trabalho, por exemplo – você não tem condição de dar-lhes atenção, mas que vai ouvi-los depois de tomar um bom banho e descansar um pouco. Isso é melhor do que fingir estar ouvindo quando, na realidade, você não consegue concentrar-se no que dizem. Mas, atenção: é preciso depois cumprir a promessa e ouvi-los de fato.

Cuidado quando estiver com raiva ou sentindo qualquer tipo de irritação. Fica difícil desempenhar bem a função de pai ou de mãe. Seu estado de espírito, sobretudo se o aborrecimento é com seus filhos, pode afetar o seu modo de agir. É inevitável ficarmos zangados ou aborrecidos com eles de tempos em tempos, mas é preferível deixar baixar a raiva antes de agir. O seu aborrecimento pode ser perfeitamente legítimo (por exemplo, um de seus filhos pegou e quebrou algo valioso ou insubstituível), mas, como pai ou como mãe, você agirá melhor se conseguir se acalmar e esperar que a raiva diminua um pouco. É bom chegar para seu filho ou para sua filha e lhe dizer: "Meu aborrecimento é muito grande para falar sobre isso agora. Vamos esperar até podermos discutir este assunto com calma." Acredite, eles vão lhe agradecer por isso.

Se você tiver cometido um erro, por favor, não negue ou finja que o que você fez estava certo. Como pais ou mães, é importante admitirmos nossos erros para nossos parceiros e até mesmo para nossos filhos, desde que o façamos de maneira que os filhos possam compreender. Se você disser: "Desculpe-me por ter gritado com você ontem. Eu tive um dia ruim no trabalho e descontei em você" ou "Pensei sobre a discussão que tivemos ontem à noite e acho que talvez você esteja com razão", seus filhos sentirão muito mais respeito, porque foram respeitados. Quando os filhos vêem que os pais são capazes de admitir seus erros, eles tenderão a reproduzir esse comportamento mais tarde. Dizer a verdade é uma das melhores maneiras de ensinar a seus filhos que, quando cometemos uma injustiça, o certo é pedir desculpas.

Já disse que a leitura deste livro ajudará você a ser um pai ou uma mãe melhor. Eu não disse que ele tornará os pais perfeitos. Mesmo porque não existe ninguém perfeito. Existem pessoas que admitem seus erros, procuram repará-los e aprendem com eles.

PRINCÍPIO 2

O seu amor jamais será excessivo

Será que é possível estragar uma criança com amor?

Se os pais se preocupassem mais em dar atenção a seus filhos e menos em estragá-los, o mundo seria um lugar melhor.

Conheci muitas crianças que sofreram porque seus pais eram egoístas ou estavam muito ocupados para atender as suas necessidades. Mas nunca encontrei uma criança que estivesse pior porque seus pais a amavam demais. Simplesmente, não é possível estragar uma criança com amor.

Mimar uma criança não é dar-lhe muito amor e carinho. Em geral, a criança mimada é aquela que recebe coisas *em vez de* amor – coisas como excesso de tolerância ou de objetos. As crianças se prejudicam quando os pais não impõem limites, quando esperam pouco delas não querendo pressioná-las, ou quando, em vez de afeição genuína ou atenção, dão brinquedos, comida ou presentes.

Manifestar sinceramente carinho e amor por seus filhos nunca é excessivo.

Em termos concretos, o que isso significa?

Seus filhos não serão prejudicados por ouvirem você lhes dizer, todos os dias, que gosta deles. Não ficarão mimados por ouvirem você lhes falar da alegria e felicidade que representam em sua vida. Não ficarão magoados por receberem demonstrações sinceras de carinho e afeto, além de elogios merecidos. Nunca reprima o seu amor, não se mostre distante nem queira parecer indiferente por achar que seus filhos ficarão mimados por toda essa atenção.

Em outros tempos, acreditava-se que reprimir o amor ajudava no desenvolvimento da personalidade de uma criança. Quanto mais dureza, melhor. Mas esta velha escola de pensamento mostrou estar errada. Em milhares de trabalhos, os psicólogos examinaram a relação entre o amor que os pais demonstram por seus filhos e o equilíbrio emocional dessas crianças. Não consigo me lembrar de nenhum estudo que tivesse descoberto que as crianças mais bem-ajustadas são aquelas cujos pais reprimiram suas manifestações de amor. Todos os estudos sobre relacionamentos entre pais e filhos mostram que as crianças mais equilibradas são aquelas cujos pais lhes dedicam os mais altos níveis de amor.

Ainda existem alguns pais que acreditam que amor em demasia torna a criança mais frágil. Alguns pensam que os filhos que recebem muito carinho irão se tornar adultos fracos. (Às vezes você ouve isso de pais que acham que o amor excessivo irá afetar a masculinidade dos filhos homens.) Outros acreditam que o afeto paterno ou materno e os elogios farão com que os filhos se tornem carentes ou que venham a apresentar uma necessidade muito grande de carinho e atenção quando ficarem mais velhos. Estão convencidos de que, ao reprimir o amor, estarão criando uma pessoa cuja necessidade afetiva será menor.

Na realidade, é exatamente o contrário. Quando as crianças se sentem realmente amadas, elas desenvolvem um sentido de segurança tão forte que quase sempre diminui sua carência. É nítido que os adultos mais emocionalmente carentes são aqueles que não foram bastante amados quando eram crianças, ou aqueles cujo amor que recebiam dos pais era inconstante ou pouco sincero. Os adultos mais saudáveis e as pessoas que conseguem expressar seu amor pelos outros são os que cresceram sentindo-se amados incondicionalmente e não os que foram forçados a sobreviver com migalhas de afeição.

Uma famosa pesquisa sobre a conveniência de os pais responderem aos chamados de seu bebê no meio da noite fornece um ótimo exemplo. Ao contrário dos que acreditam que atender um bebê que chora, além de premiar o comportamento dele, o motivará a chorar mais ainda, os pesquisadores descobriram que é exatamente o oposto. Os bebês que são confortados quando choram à noite tendem a chorar menos e a deixar de chorar com o passar do tempo. A razão é muito simples: os bebês choram quando acordam no meio da noite porque estão com medo e desorientados. Ao serem confortados, se sentem mais seguros, o que permite que durmam melhor. Ignorar as necessidades emocionais do bebê certamente fará com que ele chore todas as noites.

É importante não confundir demonstrar amor por seus filhos *com* a *maneira* de fazê-lo. Cobrir seus filhos de carinho, fazer-lhes elogios sinceros, dar-lhes atenção e declarar o quanto você curte a companhia deles é muito benéfico – e quanto mais você o fizer, melhor. Não há nada de errado em querer comprar-lhes presentes especiais, levá-los para viagens, ir jantar com eles num restaurante famoso e conceder-lhes privilégios, desde que essas coisas sejam feitas com moderação e não sejam usadas como substitutos de manifestações de amor verdadeiro. Se os pais fizerem isso, estarão enganando a si mesmos. As crianças sabem quando são amadas de verdade e quando estão sendo compradas.

Um dos meus mentores, o brilhante psicólogo infantil Urie Bronfenbrenner, afirmou que uma criança precisa de pelo menos um adulto "irracionalmente dedicado" a ela. Este é o vínculo emocional que permite que ela cresça psicologicamente saudável.

Não sinta medo de mostrar sua "dedicação irracional" a seus filhos. Quando se trata de manifestar amor a nossos filhos, é impossível economizar.

Expresse amor fisicamente

Os filhos precisam receber muitas manifestações de carinho dos pais não apenas quando são bebês, mas durante toda a infância e a adolescência. Os seres humanos precisam ter contato físico uns com os outros.

Algumas vezes, os pais ficam tão preocupados com o desenvolvimento intelectual de seus filhos que descuidam de suas necessidades mais básicas, como, por exemplo, a de serem tocados fisicamente. Passamos tanto tempo tentando descobrir o que podemos fazer para que nossos filhos fiquem mais bem preparados que muitas vezes nos esquecemos de que para um bom relacionamento entre pais e filhos a base não é intelectual, mas emocional e física. Todos esses brinquedos educacionais que prometem estimular o aprendizado das crianças pouco irão acrescentar ao desenvolvimento delas. Para sua criança será muito mais benéfico brincar com você do que ter um móbile caro sobre seu berço ou um conjunto de cartões cujo objetivo é ensinar uma língua estrangeira ou alfabetizá-la precocemente.

Os benefícios do contato físico entre pais e filhos não são só psicológicos. Bebês de muitas espécies – não apenas os humanos, mas outros mamíferos também – crescem mais saudáveis quando são tocados com delicadeza e afeto por seus pais. O toque estimula o crescimento físico, reduz o estresse e ajuda o sistema imunológico a funcionar melhor. Por falar nisso, se você é um daqueles pais ou uma daquelas mães que não consegue parar de pensar no que fazer para que seus filhos sejam mais bem preparados, certamente ficará feliz em saber que novos estudos mostram que o contato físico entre os pais e seus bebês estimula até o desenvolvimento do cérebro da criança. Embolar-se no chão com os filhos não garantirá a admissão deles em uma faculdade de prestígio, mas poderá promover seu crescimento intelectual e não custará um único centavo.

No entanto, as manifestações físicas de afeto entre você e seus filhos não trazem benefícios apenas para eles. O contato físico regular com as crianças fortalece o envolvimento dos pais com elas. Reservar um tempo para embalar seu bebê antes de colocá-lo na cama é tão bom para você quanto para ele. É muito importante que os pais tenham isso em mente para que aproveitem as atividades rotineiras, tais como alimentar, vestir e dar banho, para ter contato físico com os filhos. Isso também é importante para pais que ficam muito tempo fora de casa e dependem de outras pessoas para cuidar de seus filhos. Lembre-se sempre de que o contato físico com as crianças é fundamental para o desenvolvimento saudável do seu relacionamento com elas.

A maioria dos pais acha fácil manifestar afeto quando os filhos ainda são pequenos, porque o dia-a-dia envolve um componente físico muito forte. Não é difícil acariciar o rosto do seu bebê enquanto o está amamentando, beijá-lo enquanto o coloca no banco de trás do carro, acariciar suas costas enquanto estão vendo um livro de figuras, brincar com seus dedinhos do pé enquanto lhe dá banho, ou lhe fazer cócegas enquanto o veste. Mesmo quando já estão engatinhando e começando a andar, seus filhos lhe proporcionam muitas oportunidades de segurá-los, abraçá-los e beijá-los.

No entanto, quando eles chegarem aos três, quatro anos, você terá que fazer um esforço mais consciente e intencional para manifestar o seu afeto, tanto física como verbalmente. As oportunidades espontâneas de abraçar e beijar seus filhos diminuirão, porque, a essa altura, eles já estarão maiores e capazes de se movimentar pela casa sem precisarem da sua ajuda. Mas o simples fato de já serem fisicamente capazes e verbalmente fluentes não significa que não precisem das mesmas manifestações de carinho. Crie as oportunidades.

Às vezes eles poderão resistir a algumas das suas demonstrações de afeto se estas os fizerem se sentir como se fossem ainda bebês. São poucas as crianças de quatro ou cinco anos que gostam de ter de beijar alguém ou de serem abraçadas quando lhes dizem que elas são seus bebês queridos.

É por isso que seu filho segura a sua mão com tranqüilidade ao assistir a um desenho animado ao seu lado, mas se opõe a segurar a sua mão em público. Não é que ele não queira que você o toque – ele quer. Mas não quer ser tocado de uma maneira que abale sua sensação de já ser crescido. Isso não significa que você não deva obrigá-lo a segurar sua mão quando, por segurança, isso for necessário: quando estiverem atravessando a rua, por exemplo, ou circulando por uma loja cheia de gente. Nessas circunstâncias, não se trata apenas de manifestação de carinho.

Nem sempre os pais percebem que seus filhos precisam de manifestações de carinho, mesmo após terem chegado a uma idade em que parecem já estar grandes demais para demonstrações públicas. Às vezes você precisa usar um pouco de sutileza na hora e na maneira de expressar o seu amor. Faça-o com naturalidade, discrição e da forma mais natural possível. Um beijinho antes de saírem para a escola, um abraço afetuoso quando retornarem de tarde, um toque na cabeça quando estiverem debruçados sobre a mesa fazendo o dever de casa, ou uma massagem nas costas quando você passar em seu quarto para darlhes boa-noite. Todo esse contato físico, embora sutil e discreto, fortalece e intensifica o vínculo emocional com seus filhos. Muitos pais acham difícil ou se esquecem de fazer isso, mas é muito importante fazê-lo. Com o passar do tempo, seus gestos de carinho se tornarão mais naturais.

Durante o período pré-escolar e nos primeiros anos do ensino fundamental, quando as crianças estão tentando desenvolver um senso de independência, elas freqüentemente se esquivarão de demonstrações de carinho em público. Seu filho de cinco, quase seis anos, não quer que o mundo saiba que ele ainda é o menininho de alguém. Por isso, prefira manifestar seu carinho quando vocês dois estiverem sozinhos ou quando não houver ninguém de fora do círculo familiar imediato por perto. Não se aborreça se seus filhos parecerem não gostar de manifestações públicas de carinho, sobretudo na frente dos colegas de escola ou dos amigos. Mas você pode dar-lhes um sorriso especial ou piscar o olho com cumplicidade para eles.

É durante os primeiros anos da adolescência que o constrangimento causado por manifestações públicas de carinho chega ao ápice. Muitos pais descobrem que sua jovem adolescente não admitirá nem mesmo um abraço diante de outra pessoa. Isso não tem nada a ver com o que ela sente em relação a você. Seus filhos adolescentes estão querendo que o mundo saiba que já são adultos e independentes, ainda que não sejam de fato.

Talvez essa mesma adolescente aceite uma manifestação de carinho maior quando vocês estiverem em casa. Conheço muitos jovens que rejeitam demonstrações públicas de carinho, mas as aceitam de bom grado em casa, desde que elas não os infantilizem. Respeite o desejo de seus adolescentes durante esse estágio de seu desenvolvimento. Se o relacionamento de vocês for bom, essa situação quase sempre melhora no final da adolescência, quando os filhos se sentem mais confiantes e seguros. Em geral, nesta fase os adolescentes relaxam e permitem que seus pais voltem a lhes fazer carinho em público.

Alguns pais evitam demonstrações de carinho quando os filhos se tornam adolescentes porque se sentem desconfortáveis com o desenvolvimento da sexualidade deles. Muitas vezes esta é uma preocupação particular de pais de filhas e mães de filhos. Mas não há motivo para isso. Os pais sabem distinguir uma manifestação de carinho de outra com conotação sexual, e os filhos também. Abraçar e beijar seus adolescentes de maneira carinhosa, além de ser um comportamento normal, é benéfico para o desenvolvimento deles. É tranqüilizador sentirem-se abraçados por alguém cujo toque lhes é familiar e reconfortante durante esse período em que seus corpos estão mudando de forma tão perturbadora e imprevisível. Seus adolescentes não lhe dirão isso, porém, muito provavelmente, é verdade.

O carinho com seus filhos nunca será excessivo. Respeite apenas a forma com que eles desejam que você o manifeste.

Elogie as conquistas de seus filhos

Quando seus filhos tiverem aprendido algo difícil, diga-lhes o quanto você admira o que fizeram. Pode ser algo elementar, como ficar de pé no berço, ou tão sofisticado quanto dominar um complexo trecho musical para o violino. Talvez conseguir ler uma palavra na fase de alfabetização, terminar um trabalho de final de semestre ou um projeto para a aula de ciências. Reserve um tempo para se deleitar com aquilo que seus filhos acabaram de conseguir e elogie-os. São poucas as vezes em que vemos os filhos tão orgulhosos como no momento em que seus pais elogiam o que fizeram – e raramente os vemos tão desapontados como nas ocasiões em que os pais não valorizam as suas conquistas.

Os elogios não servem apenas para fazer com que os filhos se sintam bem; eles os ajudam a aprender lições importantes sobre o valor de um esforço para alcançar um objetivo. Crianças e adolescentes deveriam poder experimentar a sensação de satisfação que ocorre quando são bem-sucedidos depois de um grande esforço para alcançar algo. Em geral, o principal reconhecimento vem da reação dos pais.

Algumas pessoas se preocupam achando que elogios freqüentes podem fazer com que os filhos sintam que o amor que os pais lhes dão depende apenas do que conquistam e não de quem são. Isso pode acontecer se as únicas palavras amáveis e carinhosas que você disser para seus filhos estiverem associadas às suas vitórias. Mas não haverá problema se você manifestar o seu amor e afeto em todos os tipos de situações e não apenas quando eles tiverem realizado ou conquistado algo.

Como a *maneira* pela qual você elogia seus filhos é importante, você precisa ter cuidado com o que diz e com o que faz. Em outras palavras, reflita sobre a forma como expressa o seu elogio.

Primeiro: *tente manifestar suas reações por meio de atitudes que elogiem aquela vitória específica*, em vez de vinculá-la a seu afeto pela criança. Dizer "Seu comentário sobre o livro está excelente" é melhor do que dizer "Sinto muito orgulho quando você se sai tão bem na escola". O primeiro comentário se refere a um trabalho específico e não representa um julgamento sobre o valor da criança. O segundo comentário dá a entender que seu amor depende do desempenho acadêmico de seus filhos, mesmo que esta não seja a sua intenção. Você pode amar seus filhos e ter altas expectativas, mas uma coisa não deveria ter nada a ver com a outra, seja na sua cabeça ou na deles.

Segundo: em vez de atribuir a vitória a algum talento natural ou inato, *centralize seu elogio na realização concreta de algo que exigiu algum esforço*. Dizer à sua filha que seu recital de piano foi um tremendo sucesso porque ela se esforçou muito se preparando para ele é muito diferente do que lhe dizer que seu desempenho foi fantástico porque ela é um gênio. A primeira afirmação reforça a idéia de que o esforço compensa; a segunda sugere que as vitórias individuais são apenas decorrentes de talentos naturais. Acreditar que o bom desempenho se deve a habilidades inatas funciona quando somos bem-sucedidos, mas se torna um grande problema quando fracassamos. Quando um de seus filhos não se sai bem, você quer que, em vez de pensar "Eu não sou bom nisso", ele diga para si mesmo que precisa praticar mais ou se preparar melhor.

Quando se trata de desempenho acadêmico, a visão de que as vitórias são determinadas por habilidades inatas é muito problemática. Muitas vezes dizemos a nossos filhos que algumas pessoas são naturalmente dotadas em certas matérias como, por exemplo, matemática ou línguas estrangeiras. Isso pode ter efeito negativo, porque eles passam a acreditar que simplesmente não possuem aquele dom especial quando não se saem bem na primeira tentativa. Esta crença fará com que se empenhem menos, convencidos que estão de que qualquer esforço será inútil. Os pais deveriam ter muito cuidado ao transmitir essas noções quando estiverem examinando as notas do boletim.

Sabemos que as crianças possuem dotes e fraquezas naturais que afetam seus desempenhos dentro e fora da escola, mas até os indivíduos mais talentosos se esforçam para poder alcançar um bom desempenho. Michael Jordan, talvez o melhor jogador de basquete na história do esporte, é famoso também pelo número de horas que permanecia praticando muito tempo depois de seus companheiros de equipe terem ido embora. As pessoas bem-sucedidas, por mais talentosas que "naturalmente" sejam, quase sempre trabalham mais e praticam mais do que seus colegas. Seus filhos não aprenderam isso ainda, mas é importante que o façam. Ninguém possui talento natural para tudo, e seus filhos precisam compreender que para alcançar o sucesso, em qualquer situação, tudo vai depender de dedicação e esforço. Por isso, quando você elogiar as vitórias deles, não se esqueça de valorizar o esforço que fizeram.

Terceiro: *vincule seu elogio à qualidade da vitória e não à nota ou à avaliação que seu filho recebeu de alguém.* Dizer "Estou muito orgulhoso com a sua redação" é muito mais eficaz do que dizer "Estou muito orgulhoso da nota dez que você tirou na redação". Quando seus filhos estiverem com oito ou nove anos, eles já estarão dolorosamente conscientes de que o que fazem está sendo apreciado e avaliado por outros. Eles não precisam que você lhes mencione isso também.

Quarto: as vitórias das crianças devem se sustentar sozinhas, *mas se você acha que precisa comparar o desempenho de seus filhos com algo, compare-o a seu desempenho anterior e não ao desempenho dos outros.* "Você nunca jogou tão bem" vale muito mais do que lhe dizer "Você joga muito melhor do que seus colegas". Nas salas de aula e nas quadras de esporte, a competitividade entre as crianças já é muito forte. Você não deve aumentá-la.

Por fim, gostaria de mencionar algo sobre o ato de dizer a seus filhos que eles fizeram o que estava a seu alcance. Creio que esta é uma atitude válida quando as crianças são menores, mas esse tipo de comentário se tornará menos indicado quando ficarem mais velhas. Quando chegam à terceira ou à quarta série, as crianças já têm plena consciência de que as pessoas são julgadas basicamente por suas *vitórias* e que seus *esforços* recebem o mínimo de atenção. É pena, mas é um fato. Quando dizemos para nosso filho de 12 anos que, desde que ele tenha dado o máximo de si, o fato de ter se destacado mais ou menos no jogo de futebol ou se saído bem ou mal no teste de ciências é irrelevante, o menino sabe que é pouco sincero o que você está falando. Se seu filho ficou desapontado com o próprio desempenho, com certeza será mais útil tentar descobrir como melhorar na próxima vez do que tentar minimizar a situação com palavras vazias.

O mesmo se aplica a elogios improcedentes. Quando o desempenho de sua filha for fraco, não a critique (ela já se sente bem mal sem a sua crítica), mas não minta nem lhe diga que ela se saiu bem. Ela sabe que não é verdade, e um elogio imerecido apenas diminui o valor do que for genuinamente conquistado. Por isso, concentre seus comentários na possibilidade de ela se sair melhor da próxima vez.

Como satisfazer as necessidades emocionais de seus filhos

Ser um bom pai ou uma boa mãe envolve muitas coisas diferentes. Com toda a certeza, este é um cargo com uma das mais longas listas de tarefas já elaboradas.

Os pais cuidam das necessidades físicas de seus filhos, certificam-se de que eles estão alimentados, limpos, vestidos e protegidos contra doenças e danos. Proporcionam orientação e direção ao imporem limites, compartilharem sabedoria, transmitirem valores e oferecerem pareceres e conselhos. Os pais ensinam ao atuarem como professores e modelos de comportamento. Ao direcionarem os relacionamentos de seus filhos com colegas e adultos fora do âmbito familiar, eles os ajudam a explorar o mundo exterior. Intercedem por seus filhos quando se certificam de que eles não são tratados com justiça por seus professores, instrutores ou outros adultos com quem convivem.

Todas essas tarefas são importantes, mas talvez a mais essencial seja a de satisfazer as necessidades emocionais de seus filhos. Isso não significa apenas confortá-los quando estiverem chorando nem tranqüilizá-los quando estiverem com medo. Suprir as necessidades emocionais significa também agir de forma a promover o desenvolvimento emocional da criança.

Seus filhos precisam receber de você o combustível de que necessitam para crescer psicologicamente saudáveis e felizes. Para os pais, esta função é uma faca de dois gumes. Por um lado, é ótimo sentir que os filhos dependem deles. Mas, ao contrário de outros relacionamentos em que se pode dizer "Por favor, não conte comigo agora – estou morrendo de cansaço", como pai ou mãe são poucas as vezes em que você pode dizer isso. Para pais solteiros é ainda mais difícil. Quando se trata de um casal, os dois podem se revezar.

Em parte, o ato de satisfazer as necessidades emocionais dos filhos pode ser desgastante porque muitas vezes precisamos consumir uma boa parcela de energia só para descobrir quais são suas necessidades. Quando eles estão extravasando as suas emoções – chorando depois de um tombo, tremendo por causa de um pesadelo –, é muito fácil adivinhar o que precisam. Para ajudar você a saber o que fazer quando não estiver compreendendo o que está acontecendo com seus filhos, algumas orientações que darei a seguir permitirão que você satisfaça melhor as necessidades emocionais deles.

As crianças passam por vários estágios de desenvolvimento emocional. Em cada uma há sempre uma questão central que, se for compreendida, facilitará a forma de ajudá-las. Aqui vão algumas das diretrizes gerais que pai e mãe devem conhecer:

O bebê. As necessidades emocionais de um bebê giram em torno do desenvolvimento do senso de segurança. Seu bebê precisa sentir que o mundo é um lugar seguro e que para ele as surpresas são felizes. Faça com que ele se sinta assim mantendo a calma, a meiguice, dando-lhe muito afeto. Quando não souber ao certo o que fazer com seu bebê, pergunte-se: *O que posso fazer para ajudar meu bebê a se sentir mais seguro?*

A primeira infância. Quando uma criança passa para a primeira infância, suas necessidades emocionais se deslocam da segurança para a independência. Ela vai desenvolvendo um senso de individualidade que lhe permite tomar suas próprias decisões. Ela sabe o que quer – ou, pelo menos, acha que sabe – e não quer que você nem ninguém se coloque no seu caminho. Ela precisa se sentir no comando. Neste estágio, o papel dos pais consiste em ajudá-la a se sentir no controle sem, no entanto, abdicar da própria autoridade. Se você não tem certeza do que fazer para satisfazer as necessidades de seus filhos, pergunte-se: *Como posso ajudar meu filhos a se sentirem mais no controle?*

O período pré-escolar. Durante a segunda infância, as crianças estão começando a aprender sobre o mundo fora de casa e começando a se visualizar como participantes crescidos de uma sociedade maior. No entanto, apesar desses sonhos e fantasias, os pré-escolares se sentem pequenos e impotentes, e sabem que há uma grande distância entre o que querem e o que podem. Uma vez ouvi um frustrado garoto de cinco anos reclamar para o pai, enquanto tentava ver um jogo através de uma multidão de adultos que impedia a sua visão: "O mundo foi feito para os adultos." O papel dos pais consiste em ajudar seus pré-escolares a sentirem que seu sonho de se tornar um adulto é possível. Quando um de seus filhos estiver com quatro ou cinco anos perguntem-se: *O que posso fazer para ajudá-lo a se sentir mais adulto?*

Os primeiros anos do ensino fundamental. Quando uma criança está nessa fase, espera-se que ela aprenda uma enorme quantidade de coisas – não apenas conhecimento acadêmico, mas extracurricular e social também. Ela está tentando descobrir como ser boa aluna, ser popular com as outras crianças e a fazer de tudo, desde cantar no coral da escola a andar de patins ou dar banho no cachorro da família. E ela sabe que as pessoas – seus professores, seus colegas de classe, seus amigos e seus pais – freqüentemente avaliam o seu desempenho. O que será que ela precisa nesse momento? Sentir-se competente. Você deverá ajudá-la a identificar seus talentos e a conseguir resultados melhores naquilo que ela precisa superar. Quando seus filhos estiverem com essa idade, pergunte-se: *Como posso ajudá-los a se sentirem mais capazes?*

O início da adolescência. Por volta dos 12 anos, quando seus filhos entram na adolescência, as necessidades emocionais deles mudam mais uma vez. Em muitos aspectos, essas necessidades em jovens de 12 ou 13 anos são semelhantes àquelas que tinham quando estavam na primeira infância e almejavam a independência. No entanto, agora elas são diferentes em vários aspectos importantes. Os adolescentes querem se tornar independentes, mas de uma forma muito mais efetiva do que antes. Eles precisam se tornar indivíduos intelectual e emocionalmente distintos dos pais, manifestando seus próprios valores, suas próprias convicções e opiniões. É atribuição dos pais ajudá-los a se tornarem mais independentes sem, no entanto, romperem o seu relacionamento com eles. Embora o papel que os pais desempenham na evolução desta independência seja fundamental, o principal objetivo do desenvolvimento emocional é fazer os adolescentes não se sentirem dependentes deles. Quando seus filhos entrarem na adolescência você deve se perguntar: *Como posso ajudá-los a se sentirem mais independentes?*

O final da adolescência. Após terem chegado aos 15, 16 anos, os adolescentes começam a refletir mais sobre quem são e para onde vão. Da mesma maneira que as necessidades emocionais das crianças pequenas (sentirem-se no comando) suscitam as necessidades emocionais dos pré-escolares (sentirem-se crescidos), as necessidades emocionais dos jovens adolescentes (estarem no comando) dão origem às necessidades emocionais dos adolescentes mais velhos (serem crescidos). O papel dos pais consiste em ajudar esses adolescentes a descobrir que tipo de pessoa são e que tipo de pessoa querem se tornar. Neste estágio do desenvolvimento emocional de seus filhos, pergunte-se: *Como posso ajudar meus adolescentes a se compreenderem melhor?*

Sentir-se seguro, no comando, amadurecido, capaz, independente e consciente de sua individualidade são sensações boas em todos os estágios da vida, mas cada um desses sentimentos fica mais visível durante determinados períodos de desenvolvimento. Se os pais se conscientizarem de que os filhos não são quebra-cabeças emocionais, isso permitirá que se tornem mais atuantes.

Como proporcionar um abrigo seguro

Sempre me surpreendo com pais que se preocupam muito com a forma externa do mundo que oferecem à criança, mas que quase não dão atenção ao ambiente emocional, muito mais importante para o bem-estar de seus filhos. Estamos imersos de tal forma numa cultura que valoriza as aparências externas e nos vemos tão constantemente inundados por propagandas cujo objetivo é vender objetos "imprescindíveis", que nos esquecemos de que é mais importante criar para nossos filhos um ambiente emocional confortável do que um contexto fisicamente agradável. É bom transformar sua casa em um lugar aconchegante e atraente, mas uma decoração elegante e eletrodomésticos de última geração não conseguem substituir uma atmosfera de afeto onde as pessoas se tratam com carinho, delicadeza e respeito. Lembre-se disso na próxima vez em que estiver se descabelando sobre a escolha do tecido ideal para as cortinas do quarto de seu filho ou por causa da cor das paredes do quarto de sua filha. Capriche, mas sabendo que isso não é o essencial.

As crianças precisam sentir que suas casas são lugares onde podem se refugiar das tensões e das pressões do dia-a-dia. Não tenha dúvida: mesmo os pré-escolares sentem a pressão das obrigações que lhes são impostas. Crie em sua casa o tipo de atmosfera que dê a seus filhos a possibilidade de verdadeiramente relaxar e escapar de seus problemas. Seus filhos precisam sentir que, por mais turbulenta que seja a vida deles, eles possuem um lugar tranqüilo e seguro para onde possam retornar. As crianças necessitam dessa serenidade, seja para confortar-se de um dia difícil na escola, uma experiência horrível no playground, uma cruel rejeição por parte dos amigos, ou uma desagradável discussão com um colega. Você não pode fazer com que esses problemas desapareçam, mas um lar seguro proporcionará alívio e repouso a seus filhos.

Será que a sua casa é um abrigo seguro para seus filhos?

Embora o relacionamento com os pais seja a principal marca de influência na sensação de segurança e conforto de uma criança, proporcionar um abrigo seguro para seus filhos é muito mais do que manter um bom relacionamento. Os pais precisam também prestar atenção à atmosfera emocional do seu lar, e isso inclui a maneira pela qual o casal se relaciona e a forma como as preocupações e dificuldades são expressas e resolvidas. As crianças se beneficiam quando são criadas em lares amorosos e felizes, cujos membros são pessoas gentis, carinhosas e calmas. Por outro lado, elas se prejudicam quando vivem em lares tumultuados, tensos, imprevisíveis ou conturbados.

O relacionamento do casal (ou de um dos membros do casal com seu ex, se essa pessoa ainda fizer parte do cotidiano da vida de um dos filhos) é um dos fatores que mais contribuem para a atmosfera emocional da sua casa. Certos pais acham que, desde que tratem bem as crianças, a maneira como se relacionam não é importante. Mas mesmo as crianças que possuem um bom relacionamento com os pais se prejudicam por viverem em lares onde o casal constantemente discute ou grita um com o outro. Quando as crianças ouvem ou vêem seus pais brigando, ou um deles sempre tentando desvalorizar e dominar o outro, isso as torna tensas e nervosas. Uma exposição constante e sem controle a conflitos matrimoniais ou à infelicidade pode causar diversos tipos de problemas emocionais e comportamentais nas crianças. Filhos cujos pais brigam sempre ficam mais propensos a se tornarem ansiosos, depressivos e problemáticos do que aqueles cujos pais tentam discutir o mínimo possível. Quando os pais estão tendo problemas conjugais, devem se esforçar para resolvê-los com calma e respeito, longe dos filhos, sem deixar que a tensão entre os dois afete o dia-a-dia da família. Se acharem que isso é impossível, devem buscar a ajuda de um profissional.

Isso vale também para as situações em que o relacionamento do pai ou da mãe com um dos outros filhos é muito estressante.

A previsibilidade é um outro componente de segurança para a criança. Quando ainda são pequenas, elas se beneficiam de uma vida familiar metódica e rotineira. Isso se aplica a pequenos detalhes – como ter um horário certo para as refeições e para ir dormir – ou a coisas importantes – como certos rituais associados a grandes datas. Não há nada de errado em uma surpresa ocasional, como levar a criança para jantar fora de vez em quando ou ter uma noite especial em que o horário de dormir seja alterado. No entanto, lembre-se de que as crianças se sentem mais confortáveis com o que é familiar do que com o que é inusitado. A rotina as ajuda a se sentirem no controle de suas vidas.

Procure também impedir que forças externas de estresse, tais como o trabalho, afetem a atmosfera da sua casa. Sabemos que nos últimos anos isso vem se tornando cada vez mais difícil porque as fronteiras entre casa e trabalho estão sendo progressivamente derrubadas por e-mails, serviços de entrega rápida, aparelhos de fax e outros similares. Porém, trazer para casa as muitas pressões do local de trabalho afeta de maneira negativa a saúde emocional de toda a família e não apenas a sua. Você faz seus filhos terem a sensação de viver dentro de uma panela de pressão o tempo todo. Um ambiente doméstico saudável é um lugar calmo e agradável onde as pessoas podem relaxar e se divertir, e não uma extensão do estressante e frenético local de trabalho.

O mesmo princípio se aplica às pressões associadas às atividades extracurriculares das crianças. É bom poder proporcionar a seus filhos oportunidades de adquirir ou melhorar aptidões que não fazem parte do currículo escolar, mas não os sobrecarregue a ponto de criar um estresse desnecessário. As crianças se beneficiam com as atividades extracurriculares, mas depois das aulas e nos fins de semana elas também precisam de tempo para relaxar e não fazer nada. Adolescentes que estudam em escolas muito puxadas precisam de tempo para se desligar de rotinas extenuantes.

É importante também poupar seus filhos das horríveis tragédias que freqüentemente fazem parte da vida moderna. Quando as crianças pequenas, aquelas que estão no jardim-de-infância ou no início do ensino fundamental, ouvem histórias sobre desastres naturais, ataques militares ou atos de terrorismo, elas imediatamente se preocupam com a segurança delas e dos membros de sua família. Se você tem filhos pequenos que fazem perguntas sobre esse tipo de acontecimentos, tente lhes assegurar que isso não vai acontecer com eles. Basta dizer isso, porque as crianças confiam em você. Durante as crises nacionais ou internacionais, não piore as coisas mantendo a televisão sintonizada em canais de notícias. Este tipo de atitude pode satisfazer a sua necessidade de informação, mas com toda a probabilidade deixará as crianças muito ansiosas. Você poderá se inteirar dos últimos acontecimentos quando seus filhos estiverem na escola, na casa de colegas ou dormindo. Se eles forem um pouco mais velhos, pergunte se gostariam de saber melhor o que está ocorrendo e tente responder com o máximo de serenidade possível.

A sua casa deve ser um abrigo seguro para seus filhos, um lugar onde eles se sintam tranqüilos, amparados e protegidos do mundo – protegidos por seus pais.

PRINCÍPIO 3

Participe da vida de seus filhos

Participe

Aqui vai um pequeno teste:

- Você sabe o nome de todos os professores de seus filhos?
- Você sabe quem são seus melhores amigos?
- Você sabe o que eles estão estudando na escola?
- Você sabe que livro eles estão lendo (ou se eles estão lendo algum livro)?
- Você sabe o nome de seus atletas, celebridades, músicas e filmes favoritos?
- Se sua filha é uma adolescente, você sabe o que ela faz depois da escola, à noite e nos fins de semana?
- Se seus filhos recebem uma mesada ou um salário, você sabe como eles gastam o dinheiro?
- Você sabe se seus filhos estão alegres ou tristes, ansiosos ou despreocupados, se são populares ou solitários?

Se não conseguir responder afirmativamente a todas essas perguntas, o seu envolvimento na vida de seus filhos é insuficiente mas pode ser melhorado.

Vamos remediar isso já.

O mais forte e consistente indicador da saúde mental, do equilíbrio, da felicidade e do bem-estar dos filhos é o grau de participação dos pais em suas vidas. Os filhos com pais participativos se saem melhor na escola, se sentem bem consigo mesmos e demonstram menos propensão a desenvolver problemas emocionais, a se arriscarem inutilmente ou a se envolverem em confusões. Para o desenvolvimento psicológico dos filhos não há nada tão importante quanto um profundo e constante envolvimento dos pais. E isso é válido tanto para os bebês quanto para os adolescentes.

É claro que, para participar, você precisa dedicar boa parte do seu tempo aos filhos. Isso parece óbvio demais, mas posso lhe assegurar que conheço pais que dedicam tão pouco tempo a seus filhos que, antes de tudo, seria interessante saber por que resolveram ter filhos.

Uma das razões da importância de dedicar tempo aos filhos é o fato de você nunca saber, de antemão, quando eles vão se abrir e lhe contar o que está acontecendo em suas vidas. E saber o que está acontecendo com eles é crucial para o seu envolvimento.

Talvez você ache que basta fazer algumas perguntas aos seus filhos para conseguir as informações que deseja. Entretanto, este tipo de atitude apenas obtém respostas parciais. Eles provavelmente lhe revelarão o que é de fato importante em ocasiões não planejadas, quando vocês estiverem fazendo juntos algo que talvez não tenha a menor relação com o que eles querem contar. Seu filho poderá falar sobre uma briga que teve na escola enquanto você o estiver cobrindo na cama e não quando você lhe perguntar "Como foi o seu dia na escola hoje?". Você saberá da última paixão da sua filha quando estiverem passeando no shopping e não quando lhe perguntar sobre a sua vida social. Você saberá mais sobre o desempenho de seu filho na escola ao ouvir, por acaso, uma conversa quando o estiver levando com amigos para um jogo de futebol e não quando lhe perguntar diretamente na hora do jantar. No entanto, se você não costuma dar um beijo de boa-noite em seu filho, se não tem o hábito de passear no shopping com sua filha ou não costuma levar seus filhos com os amigos para jogos de futebol, você perderá esses momentos. Por isso, quanto mais tempo vocês passarem juntos, maiores serão as suas chances de participar e assim descobrir o que está acontecendo na vida de seus filhos. Isso é mais fácil quando as crianças são menores, mas, se você pensar um pouco, tenho certeza de que conseguirá descobrir muitas atividades que lhe possibilitarão passar mais tempo na companhia de seus adolescentes.

É importante participar também das atividades fora da escola. Vá aos jogos de vôlei, aos recitais de piano, às competições de natação e às peças da escola. Quando virem você no meio da multidão, eles se sentirão felizes, e além disso você estará lá para elogiar seu bom desempenho ou lhes trazer consolo quando não se saírem bem. Procure manter um contato regular com os professores deles e não deixe de comparecer a todos os eventos que a escola organizar para os pais. Faça da sua casa um ponto de encontro para os amigos de seus filhos. Isso vai compensar em muito seus gastos com biscoitos e refrigerantes.

Ser mãe ou pai não é um emprego de meio expediente. Não é algo que você faz apenas quando sente disposição, quando se lembra de dar atenção a seus filhos ou quando eles se metem em confusão.

Comprometer-se a participar por completo da vida de seus filhos não impede que você tenha uma carreira. No entanto, isso exigirá que você se empenhe mais do que uma mãe ou um pai que não trabalhe fora. Para o uso eficaz de creches ou babás, é fundamental certificar-se de que essas ajudas não substituam completamente o seu envolvimento quando não estiver no trabalho. Babás e professores podem dar um bom suporte emocional, mas não substituem os pais.

Ser uma mãe ou um pai atuante consome tempo e esforço, e muitas vezes significa ter de reavaliar e reorganizar suas prioridades. Freqüentemente vai ser necessário sacrificar o que você quer fazer para atender as necessidades de seus filhos. E isso pode significar o não-comparecimento a uma reunião de trabalho dispensável ou o encurtamento de uma viagem de negócios. Mas vale a pena. Eles crescem rápido, e o seu envolvimento nessa fase da vida deles lhes deixará uma herança de bem-estar psicológico que os acompanhará pelo resto da vida.

Se você conversar com a maioria dos pais com filhos crescidos, eles lhe dirão que sentem que a infância dos filhos passou num piscar de olhos. Quando os seus crescerem e estiverem prestes a sair de casa, você ficará feliz se constatar que aproveitou ao máximo esse período tão rápido em que eles viveram ao seu lado.

Por isso aconselho com toda a convicção que os pais saboreiem esse estágio de desenvolvimento de seus filhos, se envolvam na vida deles e permaneçam envolvidos durante todo o seu crescimento.

O que significa um horário especial?

Você provavelmente já ouviu alguém dizer que não importa a quantidade de tempo que os pais passam com os filhos, mas a qualidade do contato.

Creio que a idéia básica seja boa, porém existe uma certa confusão sobre o significado dessa afirmação.

Na realidade, muitos pais acham erradamente que algumas atividades são consideradas especiais e outras não. Muitas vezes eles acreditam que brincar com um jogo educativo ou ensinar algo novo aos filhos irá estimular o desenvolvimento deles. Por isso, quando se sentem culpados por não passarem tempo suficiente com os filhos, iniciam uma dessas atividades, esteja a criança interessada ou não. É como se o ato de dedicar um horário especial a ela fosse um item na sua lista de tarefas, item do qual estão loucos para se livrar e riscar da lista para poderem passar para a próxima tarefa. No entanto, dedicar um horário especial aos filhos não significa transformar cada contato em uma aula. As crianças e seus pais precisam apenas se divertir juntos. Os pais não são professores dos filhos.

O horário especial não deve ter nada a ver com *o que* você e seus filhos fazem quando estão juntos. Ele tem a ver com a *maneira* como esse tempo é gasto. O horário especial é definido pelo afeto que se expressa, pela abertura que se cria, pelo interesse que se manifesta, e não por um conjunto de atividades. É aquele espaço de tempo que você *realmente* dedica a seus filhos.

Então, aqui vai a minha pergunta: quando você e seus filhos estão juntos, você está de fato presente, ou na maioria das vezes a sua mente está divagando por aí? Se você responder que em geral os seus pensamentos estão em outro lugar, você não está lhes dedicando um horário especial.

São muitas as ocasiões em que você não pode se dedicar por completo. Você não pode dar total atenção a seus filhos quando está desempenhando uma tarefa que precisa ser feita, tal como preparar o jantar, pagar contas, ler os papéis que trouxe do trabalho, consertar uma descarga que não pára de correr, ou cuidar de um outro filho que ainda é um bebê. Nessas circunstâncias é perfeitamente normal dividir a sua atenção com aquilo que você está fazendo.

Mas se na relação com seus filhos o seu desempenho é semelhante ao de um piloto automático, você não está sendo um bom pai ou uma boa mãe. Dedique a eles um tempo em que possa se concentrar no que estão fazendo, em vez de dar-lhes apenas alguns minutos da sua atenção enquanto faz outra coisa, como, por exemplo, checar seus e-mails ou ler o jornal.

Reserve um horário para as atividades em que você e seus filhos tenham a oportunidade de conviver. A maneira como vai fazer isso dependerá da idade da criança, de suas preferências e aversões, mas, qualquer que seja a idade, você certamente descobrirá algo que ela goste de fazer com você. Mais uma vez, não é a atividade que importa, mas o seu desejo e determinação de se envolver no que quer que seja.

Planeje noites especiais ou programas de fim de semana que permitam que você se dedique por completo a seus filhos. É ótimo levar algum deles com você quando sair para fazer compras ou ir ao banco, mas nessas horas você não poderá lhe dar uma atenção total. Manifeste apenas o prazer de estarem juntos, aproveite o tempo no carro para contar histórias, conversarem, cantarem. Se a criança for pequena, leve brinquedos com que ela possa se distrair enquanto você escolhe as mercadorias. Se for mais velha, peça ajuda de uma forma divertida. É claro que este não é um "horário especial", mas pode ser um bom momento de aproximação.

Procure ler uma história para seus filhos todos os dias. Além de começar a despertar neles o gosto pela leitura, será uma forma agradável de estarem juntos. Pode ser uma história curta e já repetida dezenas de vezes, mas o importante é que seja lida com alegria e não automaticamente. Seus filhos sabem distinguir um envolvimento sincero de uma mera simulação.

O mesmo vale para qualquer outra atividade. Quando você e seus filhos estiverem fazendo juntos qualquer coisa, concentre-se naquela atividade e não nas tarefas que você está negligenciando ou no trabalho que precisa fazer. Esteja totalmente presente.

Quando seu adolescente estiver lhe contando algo, preste atenção. Não finja um falso interesse. Se não puder ouvi-lo, diga-lhe sinceramente, prometendo que conversarão mais tarde. Quando o encontrar no fim do dia, não pergunte por perguntar, pois obterá apenas respostas mecânicas.

Aposto que, se você somar o número de minutos que na verdade passa com seus filhos – não aquele tempo em que vocês por acaso estão no mesmo lugar ao mesmo tempo, mas os momentos em que estão conversando ou fazendo alguma coisa –, você se surpreenderá com a escassez do tempo em que ficam juntos.

Qual é a duração ideal de um horário especial? Não existe um número mágico de minutos ou de horas. Lembre-se apenas de que, quanto mais freqüente for esse horário especial que você dedica a seus filhos, melhores eles ficarão.

É possível aumentar a qualidade desse horário especial de duas maneiras. Se você puder estender a duração desse momento, tente fazê-lo. Se isso não for possível, procure melhorar a qualidade da troca no tempo em que ficam juntos. Creio que com toda a probabilidade você pode fazer um pouco de cada.

Sei que não é fácil multiplicar-se entre tantas tarefas, mas volto a repetir: vale a pena investir, porque o retorno será muito gratificante. Certifique-se pois de que uma substancial parte do tempo que você dedica a seus filhos seja integralmente deles.

Esse é o significado do horário especial.

Demonstre interesse pelas atividades de seus filhos

Você provavelmente já tentou atrair o interesse de seus filhos por aquilo que *você* gosta de fazer, mas será que você já procurou interessar-se por aquilo de que *eles* gostam? Isso lhes trará uma série de oportunidades totalmente diferentes de ficarem juntos.

Para você, é excelente introduzir seus filhos nas atividades que você adora. Isso os aproxima, cria um clima de companheirismo e é muito saudável para ambos.

No entanto, interessar-se por aquilo de que *eles* gostam representa uma maneira totalmente diferente de se relacionarem e fortalece o vínculo entre vocês. As crianças estão tão habituadas a seguir os pais que, de vez em quando, é bom para elas inverter os papéis. E, ao ficarem mais velhos, os filhos podem até começar a ensinar coisas diferentes a seus pais, o que os faz sentirem-se competentes e maduros. E de fato eles provavelmente têm muito a lhe ensinar sobretudo quando chegam à pré-adolescência.

Os pais freqüentemente não conseguem se envolver nos interesses dos filhos por várias razões. Às vezes eles gostam de fazer coisas que os pais simplesmente abominam. Muitas vezes aquele pai ou aquela mãe, que, ao escolher uma atividade, espera que seus filhos demonstrem paciência, se mostra impaciente com a atividade escolhida por eles.

Se sua adolescente gosta de assistir a filmes de ficção científica, mas você tem horror a esse tipo de filme, assista a algum com ela e, quando o filme acabar, peça-lhe para explicar o motivo da preferência. Na próxima vez que você assistir a esse tipo de filme, tente descobrir as coisas que ela mencionou – quem sabe, algum efeito especial ou o desempenho de um determinado ator – e talvez você comece a descobrir o que faz sua filha gostar tanto desses filmes.

Se seu pré-adolescente gosta de jogos eletrônicos, mas você os considera uma perda total de tempo, pergunte-lhe, assim mesmo, se você pode tentar jogar com ele. Lembre-se que compartilhar um horário com seu filho *jamais* é perda de tempo. E jogue com entusiasmo, caso contrário ele não vai querer repetir a experiência uma segunda ou uma terceira vez.

Se sua filha gosta de músicas que levam você à loucura, entre em seu quarto e faça perguntas sobre esse tipo de música. Preste atenção ao que ela estiver ouvindo naquele momento. Peça-lhe para colocar um disco que ela acha que você vai gostar e, a seguir, faça-lhe perguntas sobre ele. Tente atualizar-se sobre aquilo que está na moda entre as crianças da mesma idade de sua filha. Não finja que gosta, mas se interesse.

Às vezes os pais não se sentem atraídos de fato pelas brincadeiras das crianças. Se você se encontra nessa situação, existem duas estratégias que funcionam muito bem. Uma é tentar, vendo se você consegue se divertir participando daquilo que seus filhos estão fazendo. Na realidade, você poderá se surpreender ao constatar que se diverte.

Se não consegue se divertir, use a ocasião como uma oportunidade para observar seus filhos interagirem com o mundo. Observe o tipo de histórias que eles fabricam, por exemplo. Se estiverem construindo algo, observe como agem. Você pode aprender muito sobre seus filhos ao observá-los de perto, assim como se surpreender com a habilidade que eles demonstram.

Freqüentemente os pais dedicam tempo a seus filhos quando desejam ensinar-lhes alguma coisa. Mas nem tudo o que você faz com seus filhos precisa ser uma "experiência de aprendizado". Para falar a verdade, muitos pais passam tempo demais tentando instruir os filhos. Em geral, isso acontece quando os únicos interesses que compartilham com eles são aqueles em que são especialistas e os filhos, iniciantes. Uma certa quantidade de instruções será bem-vinda, sobretudo se eles demonstrarem interesse em aprender a fazer algo ("Eu gostaria de saber como...") ou explicitamente lhe pedirem uma orientação ("Será que você poderia me ensinar a...?"). Mas não se exceda. É muito mais importante que vocês apenas se divirtam.

Existem famílias cujos pais estão tão ocupados instruindo seus filhos que as pobres crianças passam a se sentir sempre na sala de aula. Lembre-se de que seus filhos já passam a maior parte da semana na escola. Eles necessitam de tempo para brincar ou para fazer coisas sem precisarem se preocupar com perfeição ou em atingir o nível de exigência de alguém. As crianças apreciam a companhia dos pais que simplesmente manifestam seus interesses sem se preocuparem com o procedimento "correto".

Uma maneira segura de fazer seus filhos se *desinteressarem* por aquilo que lhe interessa é transformar qualquer atividade que estejam fazendo juntos em uma aula. Dê algumas orientações iniciais, se eles manifestarem interesse. Depois deixe-os experimentar até sentir que eles *querem* que você lhes ensine.

Estou certo de que, se abandonar seus preconceitos e tentar, você poderá vir a se interessar por algo que seus filhos adoram fazer. Eles se sentirão notados, valorizados e se aproximarão mais. Abra-se para conhecer os interesses de seus filhos e procure não impor sua própria vontade nos momentos que dedica a eles.

A importância da participação da escola

Entre todas as maneiras pelas quais você pode se envolver na vida de seus filhos, a atividade escolar é provavelmente a mais importante. A vida deles está tão interligada à escola, sobretudo antes da adolescência, que, além do aspecto acadêmico, o seu envolvimento lhe permitirá saber como seus filhos estão indo em outros aspectos. Além disso, você conhecerá melhor a escola e poderá discutir sua orientação. Estudantes de todas as idades são beneficiados na escola quando os pais participam da sua educação.

É fácil compreender o motivo. No fundo, as crianças valorizam aquilo que acreditam ser valorizado pelos pais. Ao envolver-se regularmente na vida escolar de seus filhos, você lhes mostra o quanto considera a escola importante. Com o tempo, eles passarão a sentir a mesma coisa e isso os motivará a levar os estudos a sério. Por outro lado, não importa o que você disser, se não comparecer às reuniões de pais e professores, às competições esportivas e não demonstrar interesse por aquilo que estão aprendendo, seus filhos poderão concluir que a escola não é muito importante.

No entanto, não são apenas seus filhos que serão influenciados por sua participação. O seu envolvimento transmite uma dupla mensagem aos professores. A primeira é que você deseja saber quando houver algum problema para poder ajudar na solução. E a segunda é que você será a primeira pessoa a comparecer ao gabinete do diretor da escola para informar que seus filhos não estão sendo tratados corretamente. Acredite-me, não há maneira melhor de mostrar que tipo de pai ou de mãe você é do que comparecer às reuniões escolares e fazer questão de conhecer pessoalmente os professores de seus filhos.

Muitos pais acham que para se envolver na vida escolar dos filhos basta auxiliá-los nos deveres e trabalhos de casa quando precisam de ajuda. É bom e não faz mal colocar-se disponível para ajudar no dever de casa, mas não é suficiente. Nada substitui a presença e a participação dos pais na escola.

Quero deixar algo bem claro. Há uma grande diferença entre ser uma mãe ou um pai atuante e uma mãe ou um pai que só vai à escola para reclamar. Os professores compreensivelmente se irritam com pais que só aparecem para protestar. No entanto, quando o seu envolvimento é genuíno – quando você comparece aos eventos escolares, colabora quando a escola precisa de voluntários, faz perguntas que demonstram seu grau de informação sobre o que seus filhos estão estudando e elogia o que lhe agrada –, você conquista uma confiança que lhe permite em algum outro momento fazer uma queixa séria ou um pedido especial.

Vamos ver outro aspecto da participação na vida escolar. De modo geral, o seu envolvimento com as atividades escolares deve ser constante durante todo o processo educacional de seus filhos, mas a sua ajuda a deveres e trabalhos de casa deveria diminuir com o crescimento deles.

A razão para isso está relacionada a alguns objetivos do trabalho de casa. Uma das mais importantes funções do dever de casa é ajudar seus filhos a aprenderem a gerenciar o próprio tempo, a monitorar o próprio aprendizado e a certificar-se de que seus padrões de qualidade correspondem aos pedidos pelos professores. Quando ainda são pequenos, precisam da sua ajuda para aprender a fazer essas coisas, e por isso é importante que você não se esqueça de lhes perguntar se compreenderam o que foi pedido, de saber se reservaram tempo suficiente para fazer o dever e, por último, de verificar se o trabalho a ser entregue está bem-feito. Não se trata de fazer *por* eles, mas de ajudá-los a cumprir os objetivos desejados.

À medida que vão ficando mais velhos, é preciso que assumam essas responsabilidades, planejando o tempo que irão dedicar aos trabalhos de casa, buscando ajuda para algo que não compreenderam e sabendo diferenciar um trabalho excelente de um medíocre. Se você continuar se envolvendo nessas tarefas por muito tempo, seus filhos não terão oportunidade de aprender essas coisas e continuarão a depender de você para fazê-las. Por isso, quanto mais velhos e maduros estiverem, menor deverá ser o seu envolvimento no dever de casa.

Aqui vão alguns conselhos para você ajudá-los:

Quando seus filhos estão no ensino fundamental, sua função é ajudá-los a estabelecer bons hábitos de trabalho. Você pode fazer isso perguntando-lhes diariamente se têm dever de casa, estabelecendo um horário regular e um local adequado para que possam fazê-lo, certificando-se de que terminaram o dever e perguntando se precisam de ajuda.

Você não precisa conferir o trabalho todos os dias, mas deverá fazê-lo de vez em quando. Se há muitos erros por descuido, aponte-os e insista para que revejam o dever antes de entregá-lo. O objetivo é passar a noção de que é importante empenhar-se para que o trabalho seja feito corretamente e que uma primeira tentativa sempre admite uma revisão. Se achar que estão tendo dificuldade em entender a matéria, procure expliquar-lhes ou comunique o fato ao professor. Por favor, não tente ensinar algo que você não compreende. Tenha tranqüilidade em dizer que não sabe e, se for o caso, peça para o professor lhe explicar.

Quando seus filhos estiverem na sexta, sétima série, sua função é assegurar-se de que os hábitos de trabalho que você tentou formar enquanto eles estavam no início do ensino fundamental se tornaram hábitos de fato.

Deixe seus filhos decidirem de quanto tempo precisam para o dever de casa e quando e onde vão fazê-lo. Mas pergunte-lhes diariamente se têm dever de casa e, antes de irem dormir, certifique-se de que fizeram tudo. De vez em quando peça para dar uma olhada no dever, mas faça isso para demonstrar interesse e não para corrigir os erros. Mais uma vez, se você perceber erros por falta de atenção, sugira que revejam o trabalho antes de entregá-lo. De tempos em tempos, ofereça ajuda ("Você gostaria que eu visse o seu trabalho?"), mas não insista. Nessa idade é importante que eles assumam a responsabilidade. Limite o seu envolvimento ao que lhe for pedido explicitamente.

Se algum dos seus filhos pedir para você interrogá-lo sobre uma determinada matéria, faça-o. Se quiser ensaiar a apresentação de um trabalho de ciências com você ou lhe pedir para ler um trabalho de final de trimestre, colabore. Mas quando eles já estiverem no fim do ensino fundamental não lhes pergunte sobre o dever de casa e só se envolva se eles lhe pedirem, a não ser que você tenha um interesse especial no assunto e queira aprender sobre ele com seus filhos. É sempre importante manter um contato com a escola para receber informações sobre seus filhos. Porém, nesse estágio de crescimento, eles já deverão ser capazes de administrar seus trabalhos.

A maneira pela qual você reage a uma dificuldade que seus filhos estejam tendo com um professor depende também da idade deles. Se estiverem nos primeiros anos do ensino fundamental, você precisa resolver a situação. No entanto, se forem adolescentes, você deve primeiro ajudá-los a encontrar um jeito de se aproximarem do professor para resolver o problema. Certifique-se de que tenham feito o que vocês haviam decidido ser a melhor abordagem.

E, por último: não importa qual seja a idade de seus filhos, jamais corrija o dever de casa. É bom apontar o que precisa ser corrigido, sobretudo se eles estiverem nos primeiros anos do ensino fundamental ou mais adiante, mas ajude-os a descobrir como fazer as correções apropriadas. Se você fizer o dever de casa para eles, os professores não saberão se eles precisam de alguma complementação, e com isso estará eliminado um dos principais objetivos da existência do dever de casa.

Sei que você quer que seus filhos tirem boas notas, mas fazer o dever de casa para eles não é certamente a melhor estratégia para conseguir isso. Eles poderão tirar notas melhores, mas você os estará enganando e ensinando a enganar os outros, o que não contribuirá em nada para fazê-los crescer e assumir suas responsabilidades.

Alguns pais acham que basta dizer a seus filhos que a escola é importante. No entanto, as pesquisas mostram que, em geral, os estudantes que se saem melhor na escola são aqueles cujos pais participam. Quando se envolve na educação de seus filhos constantemente, você lhes transmite uma noção muito sólida sobre a importância da escola. Tenha certeza: nossas atitudes são muito mais incisivas do que nossas palavras.

Procure não intrometer-se demais

É óbvio que seus filhos se beneficiam com o seu envolvimento, mas cuidado para não exagerar. O envolvimento excessivo pode sufocar o desenvolvimento psicológico de seus filhos.

Participe, mas não se intrometa.

A intromissão de alguns pais, mesmo bem-intencionada, tem como origem uma enorme necessidade de controlar. Eles querem proteger seus filhos de danos, fracassos ou rejeições e fazer o possível para que sejam saudáveis, felizes e bem-sucedidos. É até compreensível, mas há sempre um risco de extrapolar.

As crianças precisam desenvolver uma independência saudável, e a intromissão excessiva dos pais pode interferir nesse processo. Isso significa que você terá de aprender a se conter, a observar de longe, a deixá-las decidir em vez de assumir o controle e a permitir que tenham um pouco de privacidade.

Bons pais precisam aceitar o fato de que existem coisas na vida de seus filhos que eles não podem controlar. Na verdade, o processo de educação consiste, entre outras coisas, em deixar que os filhos assumam cada vez mais o controle de suas vidas ao ficarem mais velhos. Isso não significa diminuir o envolvimento; significa fazê-lo de forma diferente. Quando seus filhos ficarem mais velhos, mantenha-se à distância, mas manifeste sempre disponibilidade, afeto e interesse.

Uma das coisas que fazem com que uma criança seja saudável, feliz e bem-sucedida é o desenvolvimento do senso decisório e da auto-suficiência. É óbvio que seus filhos precisam saber que podem contar com você, mas precisam saber também que são várias as situações que podem resolver sem você. Se o seu grau de intromissão é tão excessivo que eles nunca têm a oportunidade de agir sozinhos, não aprenderão a confiar no próprio discernimento.

Por fim, seus filhos só poderão ser verdadeiramente saudáveis, felizes e bem-sucedidos se você lhes der liberdade para se aventurar e tomar algumas decisões, mesmo que corram o risco de machucar-se e desapontar-se. Para ser uma boa mãe ou um bom pai é necessário saber equilibrar envolvimento e independência. Em ambos os extremos – quando os pais são ausentes ou quando se intrometem demais – a saúde emocional da criança é afetada.

É importante supervisionar as amizades de seus filhos, mas se para se assegurar de que nada vai sair errado você constantemente intervém em seus relacionamentos com outras crianças, eles poderão se tornar ansiosos e inseguros sobre a própria capacidade de fazer suas escolhas e estabelecer uma vida social satisfatória.

É importante acompanhar as atividades de seus filhos, mas, se você planeja tudo para eles e não lhes dá a menor oportunidade de opinar sobre seus próprios horários, abala a confiança deles no próprio discernimento.

É importante tomar conhecimento do que está acontecendo na vida de seus filhos, mas isso não significa saber os detalhes de todos os telefonemas ou conversas que eles têm com os amigos. Para se sentirem crescidos, eles precisam ter assuntos que não compartilham com você. Seus filhos têm direito à própria privacidade.

Se você não sabe se o seu envolvimento é adequado, pergunte-se:

1. *Será que meus filhos têm condições de resolver uma determinada situação ou de tomar uma decisão?* Examine a questão levando em consideração o estágio de desenvolvimento de seus filhos. Um adolescente é mais capaz do que um pré-adolescente, um pré-adolescente, do que uma criança, e por aí afora. Até crianças da mesma idade são diferentes, por isso considere as características de cada uma. Algumas crianças de oito anos conseguem resolver sozinhas suas brigas com outras crianças, enquanto que outras precisam da ajuda dos pais.

2. *Se meus filhos resolverem bem uma situação, eles vão sentir-se melhores com eles mesmos ou vão aprender algo importante?* Pense sobre os benefícios decorrentes do seu não-envolvimento. Alguns pais olham apenas os aspectos negativos. Se você agir sempre por eles, seus filhos se tornarão incapazes de tomar iniciativas, de resolver problemas e de aprender com as experiências.

3. *Será que consigo ver os erros cometidos por meus filhos como uma oportunidade de aprendizado e crescimento?* Não veja cada errinho como uma grande catástrofe em potencial nem assuma uma atitude punitiva. O importante nesses momentos é entender o que aconteceu e aprender com a experiência. Reflita com eles sobre o possível resultado de uma decisão equivocada, como dormir tarde na véspera de uma prova importante. Deixe-os aprender com seus próprios erros, desde que as conseqüências não sejam desastrosas.

Se você se vir freqüentemente em situações onde, apesar de responder "sim" a essas três perguntas, você não consegue deixar de se envolver, o seu grau de intromissão provavelmente é excessivo.

Não estou defendendo a teoria de que "apanhar fortalece". Não existem provas de que as crianças crescem mais determinadas quando são agredidas, que desenvolvem uma personalidade mais forte quando são rejeitadas ou que se beneficiam com um fracasso. Mas é preciso atingir um equilíbrio entre atenção, interesse e disponibilidade e o excesso de interferência que priva as crianças das oportunidades de crescimento que a independência proporciona.

PRINCÍPIO 4

Adapte seu modo de tratar seus filhos às características de cada um

Acompanhe o desenvolvimento de seus filhos

Quando as crianças crescem e amadurecem, suas habilidades, inquietações e necessidades mudam.

A orientação dos pais precisa mudar ao longo do tempo também.

Embora os princípios básicos da função da mãe ou do pai permaneçam os mesmos durante a infância e a adolescência, a maneira como são aplicados deve ajustar-se para se adaptar ao estágio de desenvolvimento dos filhos. O que dava certo quando estavam no pré-escolar não funcionará necessariamente quando estiverem no ensino fundamental, e o que era bom quando estavam no ensino fundamental provavelmente não será quando entrarem na adolescência.

Isso pode parecer óbvio, mas você se surpreenderia se soubesse quantos pais se recusam a modificar seus hábitos quando seus filhos crescem e aí ficam se perguntando por que razão estão tendo tantas dificuldades ao usar métodos que antes davam certo. Muitas vezes é porque não estão levando em consideração as necessidades da criança naquele determinado estágio de desenvolvimento. Para ser uma boa mãe ou um bom pai, você precisa ser flexível e se adaptar a cada estágio do crescimento de seus filhos.

Deixe-me lhe dar um exemplo. Aos dois anos, as crianças em geral são muito agradáveis. São raras as ocasiões em que é difícil convencê-las a fazer o que você quer. O período de negatividade acentuada, em geral, começa perto dos três anos. Ao começar a desenvolver uma necessidade de autonomia, a criança insistirá em fazer o que quer. Em vez de entrar em conflito com a criança, pais flexíveis evitarão os confrontos e tentarão usar a necessidade de independência da criança a seu favor.

Em vez de tentar domar o espírito de uma obstinada criança de três anos ao lhe impor a sua autoridade – uma estratégia irracional que apenas frustrará a criança e os pais –, você deverá reconhecer essa necessidade de independência e ajustar seu modo de agir a ela. Em vez de insistir para que a criança faça tudo do jeito que você quer, por exemplo, você pode ajudá-la a se sentir mais confiante permitindo que ela escolha entre diversas opções (o que vestir, o que comer, etc.) que sejam do seu agrado. Ao fazer isso, você não estará abdicando da sua autoridade; você a estará exercendo de maneira mais inteligente. Agindo dessa forma, você consegue obter o que quer (porque seja qual for a opção que a criança escolher, para você e ela não fará diferença) e estimula sua independência e capacidade de escolha. É a isso que me refiro quando falo em acompanhar o desenvolvimento de seus filhos.

Para ser capaz disso, é fundamental ter em mente quatro pontos.

Primeiro, quando seus filhos estão passando de um estágio para outro, a mudança é interna e externa. O desenvolvimento não consiste apenas em crescer em altura. Ele inclui também mudanças no modo de pensar, de se ver, de se relacionar com outras pessoas (inclusive você) e em seus sentimentos e habilidades. É verdade que cada criança é um ser único, mas também é verdade que as crianças que estão no mesmo estágio de desenvolvimento possuem várias características em comum.

Segundo, as fases de desenvolvimento psicológico que as crianças atravessam são razoavelmente previsíveis. Esta previsibilidade torna mais fácil saber o que esperar durante o processo de amadurecimento. Infelizmente, embora muitos pais se esforcem para aprender o que esperar durante a primeira infância, eles não dedicam a mesma energia para aprender sobre os estágios de desenvolvimento posteriores, como os anos pré-escolares, a infância propriamente dita e a adolescência, ou adiam esse aprendizado para quando os problemas surgirem.

Não cometa esse erro. Esforce-se por aprender sobre cada estágio de desenvolvimento que a criança for atravessar *antes* que ela chegue lá. Existem bons livros e publicações sobre a função dos pais em cada fase de desenvolvimento dos filhos e não apenas na primeira infância. Se você sabe o que esperar antes que seus filhos cheguem ao próximo estágio, saberá desempenhar a sua função com mais facilidade e, por conseguinte, poderá lidar muito melhor com esse novo período de desenvolvimento.

Terceiro, cada período de desenvolvimento possui características maravilhosas, surpreendentes e fascinantes. Porém em cada estágio existem também aspectos que frustram e causam perplexidade.

Se seu bebê estiver acordando no meio da madrugada, se sua filha de três anos estiver dando ataques de faniquito, ou se seu adolescente insistir em contestar tudo, não é porque você fez algo errado ou seus filhos estão sendo deliberadamente difíceis. É porque esses comportamentos são inerentes aos bebês, às crianças e aos adolescentes.

Você pode aprender como reagir melhor a esses desafios específicos de cada fase, mas não pode impedir o surgimento deles. O desenvolvimento se processa mais ou menos dentro de uma programação própria. Você não pode acelerar a passagem por uma fase psicológica específica, assim como não pode forçar seu bebê a parar de engatinhar e começar a andar.

Quarto, as forças que estão promovendo um crescimento saudável nas crianças são as mesmas que para os pais em geral constituem desafios. Assim que você tiver compreendido isso, passará a ver esses períodos difíceis sob um enfoque mais positivo.

Por exemplo, a mesma compulsão por independência que faz seu filho de três anos dizer não o tempo todo é também o que o motiva a aprender a pedir para ir ao banheiro. O mesmo impulso de crescimento intelectual que está fazendo a adolescente de 13 anos demonstrar curiosidade e interesse na sala de aula também a está tornando insolente e contestadora à mesa do jantar. E por aí vai.

Se você quer que sua criança seja suficientemente independente para abandonar as fraldas, você terá também de conviver com suas ocasionais manhas. Se você quer que sua adolescente defenda a própria opinião quando discordar de seus amigos, você terá de aceitar essa mesma atitude às vezes, porque enfrentar os outros ao discordar deles é uma conseqüência do desenvolvimento intelectual. Procure mostrar-lhe apenas que ela pode discordar sem ser agressiva ou insolente. De qualquer forma, a oposição permanente é exasperadora e a petulância é cansativa, mas ambas constituem sinais de que seus adolescentes estão amadurecendo, o que é motivo de felicidade.

O que tudo isso quer dizer é que para ser uma mãe ou um pai eficaz você precisa compreender o modo de pensar de seus filhos, o que sentem e o que se passa naquele momento específico de seu desenvolvimento. Não há dúvida de que é trabalhoso, porque vai haver muitas mudanças. Mas vale a pena, e você também crescerá ao aprender a lidar com o desafio.

Se você conhecer as características emocionais de seu filho de quatro anos, terá mais condições de perceber quais as estratégias que dão certo e quais não funcionarão.

Se você puder compreender o que está levando sua filha de 10 anos a buscar a privacidade de seu quarto, saberá como reagir com mais sabedoria quando ela explodir por você ter entrado em seu quarto sem antes bater na porta.

Se conseguir se lembrar de como se sentia aos 16 anos, quando estava desesperadamente apaixonada sem ser correspondida, você terá mais chance de fazer um comentário apropriado quando for a vez de seus filhos.

Alguns pais consideram que mudar suas atitudes para adaptá-las aos filhos é uma espécie de fraqueza, como se estivessem cedendo às exigências da criança.

Isso não é verdade. O amadurecimento de seus filhos é um fato inevitável e não uma exigência que eles estejam fazendo consciente ou deliberadamente. Mais importante ainda, não se trata de ganhar ou perder. Trata-se de ajudar seus filhos a se desenvolverem de maneira saudável.

Esta não é uma batalha cujo objetivo é vencer, mantendo-se firme e forçando seus filhos a se adaptarem à sua vontade. Acredite-me, se esta for a sua intenção, você estará infernizando a vida de vocês dois, e provavelmente também a de seu parceiro ou sua parceira. Seja firme, mas seja flexível. Acima de tudo, certifique-se de que a sua forma de lidar com os filhos está acompanhando o crescimento deles.

Ajuste sua orientação ao temperamento de seus filhos

É só quando nasce um segundo filho que os pais aprendem a distinguir herança genética de educação. Eu me divirto ao observar isso.

Pais de primeira viagem quase sempre acreditam firmemente na educação. Acreditam piamente que são suas atitudes com os filhos que os transformam no que são. Eles se alegram com suas qualidades e se culpam por seus defeitos.

Quando chega o segundo filho, os pais descobrem como as personalidades são diferentes, embora achem que criaram os dois exatamente da mesma maneira. Um está sempre alegre; o outro se aborrece com facilidade. Um é doce, o outro é agressivo. Um é agitado e cheio de iniciativa; o outro fica feliz em se sentar e observar o mundo passar. Um aceita as novas situações sem dificuldade; o outro precisa ser persuadido a experimentar algo diferente. Torna-se óbvio que, juntamente com a educação, a genética contribui para a personalidade de seus filhos.

Todas as crianças vêm ao mundo com um temperamento congênito que influencia a sua vitalidade, a sua capacidade de se frustrar, de se angustiar ou de se adaptar a mudanças. A disposição com que vêm ao mundo influencia a maneira pela qual as crianças reagem a praticamente tudo o que encontram pela frente.

Você precisa levar isso em consideração, mesmo em relação a detalhes insignificantes. Uma criança tranqüila por natureza, por exemplo, conseguirá ficar horas sentada, entretida com seus desenhos, enquanto os pais jantam em um restaurante. Outra mais agitada não consegue ficar quieta tanto tempo e vai necessitar de muito mais distração enquanto os pais tentam comer.

Por isso é muito importante que você compreenda o temperamento de seus filhos, que os aceite como são e que ajuste o seu modo de agir a esses temperamentos em todas as idades, em especial se ainda forem pequenos.

Se você sabe que sua filha de três anos precisa de algum tempo para aceitar estranhos, por exemplo, não é justo deixá-la sozinha na escola nos primeiros dias de aula, ou ficar impaciente porque ela precisa de alguns minutos adicionais de aconchego antes da sua partida. Se você sabe que seu filho de quatro anos é hiperativo, não espere que ele consiga ficar sentado brincando com um quebra-cabeça durante meia hora enquanto você lê o jornal. Se seu filho que está no jardim-de-infância demonstra insegurança, não é correto obrigá-lo a escalar o trepa-trepa mais alto se isso o faz ficar nervoso.

Uma criança cautelosa não consegue deixar de ser cautelosa, assim como uma hiperativa ou medrosa não consegue deixar de sê-lo. O temperamento não é algo que a criança possa controlar.

Por isso, vamos falar do que fazer se seus filhos tiverem um temperamento difícil.

Uma criança com um temperamento difícil pode lhe causar muitos transtornos, mas esperar que ela mude de natureza para facilitar a sua vida é tão inútil quanto esperar que ela mude a cor dos cabelos para combinar com a cor da roupa que você comprou. Se você não gosta da combinação da cor da roupa com a cor dos cabelos de sua filha, troque a roupa. E se você se aborrece com a reação dela a uma determinada situação por causa de seu temperamento, mude a situação.

Não tente remodelar o temperamento de seus filhos. O temperamento medroso com que um deles nasceu não vai mudar se o forçarem a enfrentar situações estressantes. Seu filho hiperativo por temperamento não é um cavalo selvagem cujo espírito precisa ser domado. Em parte, seus filhos são o que são porque nasceram assim, e você terá de aprender a se adaptar à sua natureza. E se algum deles tiver um temperamento difícil, será necessário fazer alguns ajustes.

Para se ter sucesso com uma criança de temperamento difícil, a solução é selecionar e criar situações adequadas à sua personalidade. Não estou me referindo a abandonar os princípios básicos de educação dos filhos. Estou meramente sugerindo um pequeno "ajuste".

O mais importante é saber que, se você tem um filho com temperamento difícil, você precisará lhe dar mais tempo quando estiver enfrentando uma situação incomum ou qualquer tipo de mudança. Não importa se ele é muito medroso, muito tímido, muito irascível ou uma combinação das três características.

Qualquer uma delas requer que você reserve mais tempo para ajudá-lo a se adaptar a algo novo – uma nova babá, uma nova escola, uma nova casa, novos horários, a primeira ida ao dentista, a primeira vez que dorme na casa de um amiguinho, e por aí afora. Se uma criança se sente amedrontada, inibida ou se aflige mais facilmente do que as outras, ela precisará de mais tempo para controlar seus sentimentos. Você terá de ter paciência e compreensão enquanto ela se adapta.

Embora você não possa exercer um controle sobre todas as experiências de seus filhos, quando o fizer procure levar seu temperamento em consideração. Se sua filha tiver pouco poder de concentração, não planeje saídas que exijam longos períodos de inatividade. Se seu filho for fisicamente muito ativo, escolha atividades que permitam que corra e gaste energia. Caso se apavore com facilidade, procure não expô-lo a coisas que certamente o amedrontarão. Pense no temperamento de cada um antecipadamente e use um pouco de bom senso.

Muitos pais acham que obrigar os filhos a enfrentar seus próprios "demônios" os ajudará a desenvolver uma personalidade mais flexível, mas isso só se aplica a crianças mais velhas. Quando estiver com sete, oito anos, a criança começará a desenvolver um autocontrole que lhe permitirá permanecer sentada quando estiver morrendo de vontade de se levantar, se concentrar numa atividade quando preferiria estar correndo ou se convencer de que não há motivo para sentir medo. No entanto, quando ainda são pequenas, elas não conseguem fazer essas coisas.

Para falar a verdade, se seus filhos tiverem menos de sete, oito anos, quanto menos eles precisarem enfrentar situações que perturbem o seu temperamento, melhor será. Forçar um pré-escolar superativo a ficar sentado durante um longo período de tempo não mudará o seu temperamento; apenas o frustrará. Expor uma criança que está no jardim-de-infância a situações amedrontadoras a tornará mais medrosa ainda.

Uma coisa que você pode fazer é ajudar seus filhos a enfrentarem os desafios.

Se, por exemplo, você tem uma filha medrosa que está nervosa com a sua primeira festa de Halloween, leve-a antes a uma loja de fantasias para que ela possa se acostumar e saber o que vai encontrar. Se você contratou uma babá para, enquanto você vai ao cinema, ficar com seu filho que estranha pessoas novas, peça para ela chegar mais cedo e ficar um tempo brincando com você e seu filho. Se ele é desatento, você pode inventar jogos e brincadeiras que o forcem a ouvir as instruções, para que ele se acostume com isso em casa antes de ter de lidar com esse tipo de situação na escola.

No entanto há um limite para esses tipos de artifício, principalmente se a criança for pequena. Por isso, não espere milagres. Com o passar do tempo, você e ela descobrirão maneiras de contornar as vulnerabilidades de seu temperamento. Até lá, você terá de se adaptar.

A solução é criar situações que tirem proveito dos pontos fortes de seus filhos e evitar aquelas que acentuem seus pontos vulneráveis. Para isso, é preciso saber o que pode estimulá-la ou amedrontá-la, mostrar-se uma mãe ou um pai flexível e tratá-la como um ser único. Essas são as três boas máximas que se deve ter em mente.

Sei que parece injusto que o filho do seu vizinho seja uma criança calma, sempre feliz, fácil de ser confortada e capaz de se adaptar a qualquer situação nova, enquanto que o seu é genioso, difícil de ser acalmado e muito avesso a novidades. Mas não há nada a fazer, a não ser ter paciência e saber que se vocês pais souberem lidar bem com essas características estarão ajudando seus filhos a crescerem como pessoas saudáveis e felizes. Se você tiver um bebê calmo, que come e dorme, pode achar que isso aconteceu porque, durante a gravidez, você ouvia Mozart, evitava comer cebolas ou meditava todas as manhãs. Na verdade, isso foi apenas sorte. Agradeça aos céus.

E se você tiver uma criança difícil, a culpa não é sua, a não ser que você tenha consumido substâncias perigosas (álcool, fumo ou drogas) durante a gravidez, o que não deveria ter feito. Mas, se não é este o caso, é improvável que qualquer coisa que você tenha feito enquanto estava grávida tenha influenciado, para melhor ou para pior, o temperamento de sua filha ou de seu filho.

Não lute contra o temperamento de seus filhos. Se você trabalhar a favor, e não contra, todos vocês ficarão muito mais satisfeitos.

Cada um de seus filhos é um ser único

Em matéria de seres humanos, não existe um igual ao outro, e é importante que os pais saibam disso ao lidar com seus filhos.

É verdade que os princípios básicos se aplicam a todas as crianças. Mas a forma de aplicar esses princípios deve ser adaptada à idade, à personalidade, aos interesses e às circunstâncias de cada criança. Você não deve alterar nenhum dos princípios, mas deve ajustá-los às características de cada um de seus filhos.

Por exemplo, um princípio básico na criação dos filhos é de que crianças de todas as idades precisam de estruturas e limites. Mas as regras reais do dia-a-dia deveriam variar de acordo com a idade e o grau de maturidade de cada uma. Uma criança que encontra sempre dificuldades para terminar o seu dever de casa necessita de mais supervisão do que uma irmã ou um irmão que sempre termina a tarefa sem sua interferência. Em relação ao dever, as regras deveriam ser as mesmas para ambas as crianças, mas faz sentido ter para a primeira regras mais rígidas do que para a segunda. Da mesma forma, uma criança mais velha poderá administrar melhor seu horário de dormir do que uma criança menor, e é perfeitamente admissível estipular horários diferentes.

É absolutamente apropriado estabelecer regras ligeiramente diferentes para as diversas crianças da mesma casa, desde que você explique os motivos e que estes se justifiquem pelas diferenças reais entre seus filhos.

Se o motivo para não aplicar as mesmas regras para todos os filhos tem como fundamento o fato de um ser mais velho do que o outro, é conveniente explicar à criança menor que ela terá o mesmo tipo de tratamento concedido a seus irmãos mais velhos quando chegar à idade deles.

Se a diferença de tratamento se baseia em outros motivos, explique a sua lógica. "Você teve notas baixas na escola no último semestre, por isso não pode sair tanto quanto a sua irmã. Assim que suas notas melhorarem, voltaremos ao esquema anterior." Não se trata de castigo, mas da necessidade de um dos filhos precisar de mais tempo para recuperar a matéria.

Creio que muitas vezes os pais temem que os filhos não compreendam a lógica por trás de uma decisão de tratar irmãos de maneira diferente e se preocupam por acharem que os filhos menores só ficarão satisfeitos se receberem o mesmo tratamento que recebem os mais velhos. No entanto, quando estão com seis, sete anos, as crianças levam mais em conta o que é "justo" do que a igualdade absoluta. Se você procurar agir sempre de forma lógica e justa, elas entenderão e aceitarão mais facilmente do que você possa imaginar.

É muito importante que seus filhos cresçam para serem o que *eles* querem ser, em vez de tentar encaixar-se na forma que você criou para eles. É perfeitamente normal lhes mostrar as coisas pelas quais você gostaria que eles se interessassem, mas mostrar não é impor nem criar expectativas que eles se vejam obrigados a cumprir. Se eles não se interessarem por aquilo que interessa a você, deixe de lado. Há uma grande diferença entre surpreender-se e desapontar-se. Procure descobrir e incentivar aquilo de que *eles* gostam. Seus filhos precisam ser donos deles mesmos.

É perfeitamente normal que os pais tenham fantasias e sonhos sobre o futuro dos filhos. Mas trate esses desejos como fantasias e sonhos e não como planos reais. Sua função é ajudar seus filhos a identificarem e desenvolverem seus talentos, perseguirem seus próprios interesses, mesmo que eles não correspondam às suas expectativas. Não os faça se sentirem culpados por não terem se tornado o que você planejou para eles. Você quer que eles sintam orgulho de si mesmos e não vergonha por ter decepcionado seus pais.

Creio que você provavelmente descobrirá que surpreender-se com o desenvolvimento de seus filhos é tão ou mais gratificante do que ter suas expectativas realizadas.

Os problemas que surgem quando os pais tentam forçar seus filhos a seguir um esquema de interesses e atividades predeterminados podem ser agravados em lares onde alguns dos filhos seguem o plano dos pais e outros não. Estou me referindo sobretudo a famílias onde todos os filhos, exceto um, se interessam por uma determinada atividade que ocupa todo o tempo e a atenção da família. Não há nada de errado nisso, mas é importante que aquele que possui interesses diferentes possa receber dos pais o mesmo grau de apoio e reconhecimento que seus irmãos. Não é justo desconsiderá-lo só porque ele tem aptidões e predileções diferentes.

Também não é bom tratar meninos e meninas de forma diferente. Mas se seu filho e sua filha possuem características diferentes, devem ser tratados de maneira diferente. Não pressuponha, porém, que, apenas pelo fato de serem homem e mulher, eles precisem de critérios de educação diferentes. Os princípios básicos para criar filhos felizes se aplicam igualmente a meninos e meninas. Trate cada um de seus filhos como um ser único e não como um membro do sexo feminino ou masculino. Seus filhos vão encontrar um mundo com uma visão de sexo bem estereotipada. Não há motivos para você exacerbá-la.

Em relação à escola, você também deve tratar cada filho como um ser único. No que se refere à vida escolar, os pais devem ter expectativas claras para todos os seus filhos, mas essas expectativas precisam ser revistas quando você aprender mais sobre a capacidade de cada um. Isso é particularmente difícil em famílias com crianças intelectualmente muito diferentes. É bom exigir que todas as crianças dêem o melhor de si e dediquem tempo e energia à atividade escolar, mas você não pode esperar que uma criança intelectualmente menos capaz do que seus irmãos tire as mesmas notas nas mesmas matérias.

É verdade também que crianças diferentes nem sempre evoluem no mesmo ambiente escolar. Algumas precisam de uma atmosfera escolar muito estruturada, enquanto outras, de um ambiente mais solto. Umas se encaixam bem em uma escola que estimula os esportes, outras se saem melhor em colégios voltados para atividades culturais. Se puder, procure escolher para cada um de seus filhos a escola que mais se adapte ao seu temperamento, mesmo que isso signifique matriculá-los em escolas diferentes.

Por fim, passe algum tempo com cada filho individualmente. Muitas vezes, os únicos momentos que os pais passam com os filhos é quando toda a família está reunida. É ótimo cultivar a convivência familiar, mas todas as crianças precisam passar com seus pais momentos que as façam se sentir únicas e especiais. Qual foi a última vez que você se dedicou integralmente a cada um de seus filhos individualmente?

Respeite seus filhos pelo que cada um é e pela criatura única que se tornará. Garanto que ela ou ele se beneficiará da sua atenção individual. Ela ou ele é um ser único e como tal deve ser tratado.

Seja paciente nos períodos de transição

Em geral, as crianças não amadurecem de maneira gradativa e simples. Boa parte de seu desenvolvimento ocorre em manifestações repentinas. Ao ficarem mais velhas, essas fases de amadurecimento emocional e intelectual se alternam entre períodos tranqüilos, quando elas parecem não estar mudando muito, e períodos de mudanças rápidas, quando você se assustará com a velocidade com que tudo está ocorrendo.

É como se o desenvolvimento psicológico de seus filhos, em vez de se dar em ritmo constante, corresse e a seguir descansasse, recobrasse as forças, corresse outra vez, descansasse de novo e voltasse a se recobrar em um ciclo contínuo. É claro que o desenvolvimento continua acontecendo durante os períodos de descanso. Ele apenas se processa de maneira lenta e constante, e é quase imperceptível se você não prestar muita atenção nos sinais. No entanto, quando ele estiver "correndo", os sinais serão bem claros.

Veja a altura, por exemplo. Durante os primeiros anos do ensino fundamental, seus filhos vão crescendo, mas aos poucos. Se você marcar a altura dela ou dele na parede todos os meses, constatará que está crescendo e que esse crescimento é muito mais fácil de ser visto pelas marcas de lápis na parede do que através de um simples olhar. Isso ocorre porque nesse período o crescimento é tão gradual que não chama a atenção, a não ser que você o mapeie cuidadosamente.

No entanto, em algum momento do início de sua adolescência, eles começarão a crescer mais rápido. Na realidade, durante esse período, todos os pré-adolescentes passam um ou dois anos crescendo literalmente duas vezes mais rápido do que antes. Você não precisará de marcas na parede para se convencer de que eles estão crescendo. Em alguns dias, quando aparecerem para o café da manhã, você será capaz de jurar que cresceram cerca de 15 centímetros durante a noite. Após um ou dois anos, essa fase acaba e eles voltam a crescer em um ritmo mais lento.

As crianças também passam por fases de crescimento psicológico, e esses períodos de desenvolvimento acelerado podem ser muito estressantes para pais e filhos. Os momentos mais desafiadores que você terá de enfrentar ocorrem durante uma dessas principais épocas de transição.

Como as crianças não passam por essas fases de crescimento com a mesma idade, é difícil determinar o momento exato em que elas acontecerão, mas você deverá esperar por essas mudanças principais entre os dois e os três anos, e novamente por volta dos 6, 12 e 16 anos. Durante o percurso ocorrem "minitransições", principalmente durante os primeiros seis anos, mas são essas quatro grandes transições que quase sempre desconcertam os pais.

É fácil perceber por que essas fases de transição surpreendem tanto os pais. As crianças mudam tão rapidamente durante o período de amadurecimento psicológico que é difícil saber o que esperar de um dia para o outro. Para agravar a situação, durante essas transições o desenvolvimento freqüentemente anda dois passos para a frente seguido de um para trás.

Um dia você pode achar que seu filho alcançou um importante marco físico, intelectual ou emocional, como aprender a pedir para ir ao banheiro, e no dia seguinte achar que ele retrocedeu. Não é que as crianças desaprendam aquilo que pareciam já ter adquirido. É assim que elas se desenvolvem: aos trancos e barrancos, e não serenamente.

Esse processo ocorre durante toda a infância e a adolescência. Você pode se regozijar pelo fato de seu filho de cinco anos ter finalmente dormido duas noites seguidas sem acordar. Mas, na terceira noite, ele volta ao antigo hábito e seu sono é mais uma vez interrompido. Depois de anos brigando com seu filho de 11 anos para fazer o dever de casa a tempo, ele surpreende você com vários dias de extraordinária iniciativa. Porém, na semana seguinte, lá está ele de volta à sua rebeldia e dispersão.

Esse padrão de "agora sim, agora não" é especialmente comum quando as crianças estão atravessando fases de crescimento psicológico. Entre a infância e a adolescência, por exemplo, provavelmente haverá momentos em que seus filhos vão surpreender com sua maturidade imprevisível, para logo em seguida irritar e frustrar com sua infantilidade também imprevisível – tudo ao mesmo tempo. Uma noite sua filha de 11 anos pode sair da mesa dizendo que vocês são os piores pais do planeta e no dia seguinte beijá-los afirmando o quanto é feliz por tê-los como pais. Ela não está sendo deliberadamente contraditória – está passando por uma das fases de transição. Você não ganhará nada chamando-a de inconstante, mesmo que a tentação para fazê-lo seja quase irresistível.

Essa mesma mistura de maturidade e imaturidade volta a aparecer quando os filhos estão chegando ao final da adolescência. Seu filho de 16 anos é capaz de se lembrar de parar no supermercado para comprar o que você lhe pediu, mas se esquece de buscar a irmã menor na escola depois do ensaio da peça. Embora tenha se tornado muito mais adulto em diversos aspectos, às vezes ele ainda age como um adolescente. Isso é natural.

O que está acontecendo? Os cientistas agora sabem que os períodos de desenvolvimento psicológico acelerado são épocas de mudanças importantes para o funcionamento do cérebro – mudanças que muitas vezes compreendem uma grande reorganização da maneira pela qual as partes do cérebro trabalham juntas. No entanto, essa reorganização não ocorre suavemente, porque os resquícios de antigos padrões continuam presentes enquanto os novos padrões estão sendo estabelecidos. Durante a transição que ocorre por volta dos 12 anos, por exemplo, partes do cérebro ainda permanecem presas a hábitos infantis, enquanto outras já estão se movendo para a adolescência. É por isso que seus filhos de 12 anos muitas vezes apresentam uma desconcertante mistura de maturidade e imaturidade em seus comportamentos e atitudes.

Se já tiver trabalhado em uma empresa que passou por significativas mudanças estruturais, você sabe o quanto essas transições podem ser difíceis até as pessoas se acostumarem ao novo sistema. Velhos hábitos e rotinas muitas vezes mostram-se resistentes a mudanças, mesmo após a reorganização ter sido implementada. Certos aspectos do novo plano ocorrem no prazo previsto, outras demoram mais e as coisas saem dos eixos. Com o passar do tempo, essas inconsistências são resolvidas, mas isso não ocorre de um dia para outro.

O mesmo acontece quando seus filhos estão atravessando essas fases de transição no desenvolvimento.

Nesses períodos é preciso haver mais flexibilidade e compreensão para diminuir a frustração tanto para os pais quanto para os filhos. A maneira repentina como as mudanças surgem, sua imprevisibilidade e sua singularidade também as tornam mais aflitivas para seus filhos. É por isso que o seu apoio, a sua paciência e a sua aceitação são fundamentais nessas fases.

Uma das coisas mais importantes para ter em mente quando os filhos estiverem atravessando uma fase de transição difícil é que ela *não vai durar para sempre.* É bom procurar uma luz no final do túnel. Se procurar bem, você conseguirá enxergá-la e isso lhe dará um novo alento. Tente se controlar e procure uma válvula de escape para a sua frustração e mesmo exasperação. Não as desconte em seus filhos. Eles não têm culpa.

As mudanças na função de mãe e de pai

Como mãe ou como pai, a sua função muda com o crescimento de seus filhos.

Embora isso possa lhe parecer óbvio, quase sempre é mais fácil dizer que aceitamos essa mudança do que colocá-la em prática. Muitos pais podem reconhecer isso, mas nem todos o fazem com facilidade. Alguns pais mudam voluntariamente, outros resistem com todas as forças.

Não reaja contra essa mudança da sua função na vida de seus

filhos. As necessidades deles estão mudando, queiramos ou não. Se você não mudar para acompanhar seus filhos, eles vão deixar você para trás.

É muito fácil compreender por que os pais muitas vezes relutam em se adaptar a seus novos papéis. Em parte, nós nos damos conta da nossa idade quando percebemos o crescimento de nossos filhos. É chocante constatar de repente que deixamos de ser o jovem casal quando nossa filha entra para a classe de alfabetização e que envelhecemos quando ela sai pela primeira vez com um rapaz ou tira sua carteira de motorista.

Resistir à mudança de função, aferrando-se à infância dos filhos, representa uma tentativa de evitar nos sentirmos mais velhos. Quando você continua a tratar seu filho de 16 anos como se ele ainda tivesse seis, é como se estivesse diminuindo 10 anos da sua própria idade.

Você pode querer retardar ou imobilizar a vida de seus filhos, mas esta é a última coisa que eles querem. Você pode tentar retardar a velhice, mas tudo o que eles desejam é crescer.

Não procure se agarrar à sua própria juventude tratando seus adolescentes como se ainda fossem pequenos. A longo prazo pode ser muito doloroso.

Quando se trata do desempenho da função dos pais, há três mudanças específicas muito difíceis de serem aceitas, porque podem ser sentidas como perdas e não como simples mudanças. Se puder examiná-las sem medo e compreender como é importante permitir que elas ocorram, você terá muito mais facilidade de aceitá-las e, por conseguinte, de se adaptar a elas.

A primeira mudança ocorre quando deixamos de ser o foco central da vida de nossos filhos para sermos apenas umas das pessoas de quem eles gostam. Quando eles são pequenos, os pais são os atores principais. No entanto, ao crescer, eles passam a ter relacionamentos importantes com muitas outras pessoas: seus amigos, seus professores e, com o passar do tempo, com aqueles por quem se apaixonam. Prepare-se: isso acontecerá mais cedo do que você pensa.

A ampliação do círculo social de seus filhos afeta o seu relacionamento com eles. Haverá ocasiões em que preferirão ficar mais tempo na companhia dos amigos ou dos namorados do que na sua. Em outras parecerão dar mais valor às opiniões de alguns de seus professores do que às suas. E tudo isso pode fazer você sentir que perdeu seus filhos.

No entanto, não é verdade. O que acontece é que agora eles têm capacidade de estabelecer relacionamentos importantes dentro e fora do círculo familiar, e você terá de compartilhar a atenção de seus filhos com outras pessoas. A importância dessas outras pessoas na vida deles aumentou, o que não significa que sua importância diminuiu. Agora eles conseguem manter vários relacionamentos ao mesmo tempo.

Se você encara esse compartilhamento com os outros como um indicador de perda da sua importância para seus filhos, o crescimento deles lhe trará apenas tristeza. Em vez de olhar por esse ângulo, procure se alegrar ao ver o círculo de relacionamentos de seus filhos aumentar. Essa capacidade de se relacionar bem com outras pessoas representa um presente que vocês como pais lhes deram. Deixe-os usufruir o presente.

A segunda mudança no papel dos pais, que talvez represente um desafio para eles, ocorre quando eles deixam de controlar a vida dos filhos para ajudá-los a aprender a controlá-la sozinhos. Isso é muito difícil de ser aceito, principalmente por pais que possuem uma enorme necessidade de controlar.

Além de deixar de tomar decisões por eles, você terá de ajudá-los a tomar as melhores decisões por si mesmos. Isso não acontecerá da noite para o dia, mas com o passar do tempo você terá de permitir que no seu relacionamento com seus filhos o equilíbrio do poder passe a ser cada vez mais homogêneo. Por exemplo, quando você vai comprar roupas para seus filhos pequenos, a decisão é sempre sua. Quando ficam um pouco mais velhos, as decisões (dentro de certos limites) são deles. E, a partir do momento em que tiverem autonomia para sair, irão fazer compras sozinhos ou com os amigos. É óbvio que é você quem paga as contas, mas isso faz parte do jogo.

Permitir que seus filhos tomem suas próprias decisões sobre roupas ou outros aspectos da vida lhe parecerá estranho no início, porque você se acostumou a ter controle absoluto. Mas eles necessitam desse deslocamento da autoridade para conseguirem finalmente se tornar jovens adultos responsáveis. Quando chegar a hora em que precisarem tomar suas próprias decisões, você vai querer que o façam com calma e discernimento. Você não vai querer levá-los para fazer compras quando forem jovens adultos.

Se você encara essa transferência de controle das decisões como uma perda da sua autoridade, o crescimento de seus filhos fará você se sentir insignificante, causando ansiedade e frustração. Se, em vez disso, você for capaz de ceder, de vê-los capazes de tomar boas decisões, de sentir orgulho ao constatar sua crescente habilidade em gerenciar seus próprios assuntos, você não se sentirá tão mal assim. Na verdade, será até muito bom porque você saberá que a educação que lhes deu é, em grande parte, responsável por essa capacidade.

A terceira mudança requer que deixemos de tentar moldar nossos filhos para permitir que se tornem as pessoas que desejam ser.

É bom querer influenciar a personalidade de seus filhos – isso faz parte da função de pais. Porém, com o passar do tempo, você precisará tentar influenciá-los menos em uma determinada direção e lhes dar mais oportunidades de desenvolver as habilidades de que precisam para descobrirem quem são. Você terá de deixar de tentar moldar sua personalidade para auxiliar na formação de seu senso de individualidade.

No dia-a-dia, isso significa estimular seus filhos para terem suas próprias opiniões, permitindo que discordem de você, respeitando sua privacidade e aceitando o fato de que existem coisas em suas vidas que você simplesmente não vai saber. Isso não quer dizer que eles estejam rejeitando você. Significa apenas que estão se descobrindo e se aceitando. Pode ser que venham a se tornar as pessoas que você idealizou. Ou pode ser que fiquem completamente diferentes. Qualquer que seja o resultado, o importante é permitir que eles se tornem aquilo que desejam ser.

Se você encarar as tentativas de seus filhos de se tornarem indivíduos com idéias próprias como uma rejeição à sua influência e seus valores, e não como parte de um processo saudável que permitirá que desenvolvam uma identidade definida e forte, o crescimento deles lhe causará angústia e frustração. Você precisa encorajá-los a desenvolver sua própria identidade em vez de tentar lhes impor a que escolheu. Se conseguir admirar os seres únicos que seus filhos serão quando crescerem, você ficará muito mais feliz do que se permanecer suspirando pelos dias em que eles eram as criancinhas da mamãe ou do papai.

A função de mãe e de pai se assemelha muito à construção de um barco que um dia será lançado ao mar. O processo de construção é gratificante, mas o lançamento do barco e a constatação de que ele está apto a enfrentar o mar também são. Em um determinado momento da sua atuação como mãe ou como pai, você precisará começar a aprontar seus filhos para esse lançamento.

Deixe o seu papel mudar com o crescimento de seus filhos. Aprenda a dividir o palco central com outras pessoas importantes para eles. Aprenda a partilhar as decisões com eles em vez de tomar decisões por eles. Aprenda a lhes dar a abertura psicológica de que precisam para se desenvolverem como indivíduos. Se conseguir fazer essas três coisas, tanto você quanto eles se beneficiarão.

Não tenha dúvida: seu papel *precisa* mudar porque o desenvolvimento de seus filhos exige que isso aconteça. O importante é saber se você vê essas mudanças como perdas, como processo a ser evitado, a lastimar ou a protelar o máximo possível, ou se as vê como necessárias para que seus filhos cresçam e se tornem adultos saudáveis e felizes.

Aceitar a mudança do seu papel na vida de seus filhos é uma das coisas mais difíceis que, como mãe ou como pai, você terá de fazer, mas é também uma das mais importantes.

PRINCÍPIO 5

Estabeleça regras e coloque limites

Todas as crianças precisam de regras e de limites

O que as crianças mais precisam de seus pais é amor e segurança. Uma das principais maneiras de dar segurança é deixar bem claras as regras a serem seguidas e estabelecer nitidamente os limites em relação à liberdade que lhes é concedida. Não importa quantos anos seus filhos têm. Todas as crianças precisam de regras e de limites.

Alguns pais relutam em estabelecer regras ou estipular limites para seus filhos, porque não querem que as crianças se sintam controladas por limites ou pressionadas por expectativas. Eles provavelmente sofreram muita repressão quando pequenos e não querem que seus filhos passem pela mesma experiência. Ou então se colocam na posição dos filhos e imaginam como deve ser ter outras pessoas dizendo o tempo todo o que fazer. E, como não gostam de se sentir tolhidos por outras pessoas, deduzem que as crianças devem sentir a mesma coisa.

É um bom raciocínio, mas está errado.

Viver de acordo com um conjunto de diretrizes impostas por outra pessoa não causa às crianças o mesmo efeito que causa nos adultos. Regras e limites colocados com amor e justiça não fazem as crianças se sentirem mal. Na verdade, é o oposto que acontece: fazem as crianças se sentirem *seguras*.

Se você quiser que uma criança se sinta mal, deixe-a crescer em uma casa onde o dia-a-dia é imprevisível, caótico e onde não existem regras. Converse com adultos que cresceram nesse tipo de lares e eles lhe dirão que prefeririam muito mais ter crescido em uma família organizada e ordeira, cujos pais estabelecessem regras e limites para o comportamento dos filhos.

Os pais podem discordar bastante sobre as características das regras que estabelecem, mas todos os pais deveriam ter um conjunto de regras bem nítidas para seus filhos. Por exemplo, você pode achar que nove horas da noite é o horário apropriado para uma criança de 10 anos ir para a cama, enquanto outros pais podem achar que 10 horas faz mais sentido. Na realidade, o fato de ter de ir para a cama às nove ou às 10 horas não é tão importante assim. O importante é a criança ter um horário de ir para a cama definido pelos pais.

Existem muitas razões para a existência das regras, mas a principal é que, com o passar do tempo, elas ajudam as crianças a desenvolver a capacidade de administrar seus próprios comportamentos. Embora isso pareça contraditório, a capacidade que uma criança tem de conseguir se controlar é algo que nasce do fato de ser controlada com equilíbrio por seus pais. A razão para isso está no fato de que as crianças adquirem autocontrole ao interiorizarem as regras que seus pais estabeleceram. Com o tempo, o controle do comportamento da criança vai deixando de ser externo (imposto por você ou por outros adultos) e passa a ser interno (decidido pela própria criança).

No entanto, se nunca houve um controle externo, o controle interno – o autocontrole – não se desenvolverá.

Mais cedo ou mais tarde, seus filhos ficarão longe de sua supervisão direta e você vai querer que eles consigam se virar sem depender da sua ajuda. Se sua filha de seis anos escova os dentes conscienciosamente todas as noites antes de ir para a cama, é bem provável que ela tenha sido obrigada a fazer isso quando ainda tinha quatro anos. A razão para que uma criança de nove anos tenha bons modos à mesa de jantar e peça permissão para se levantar quando estiver jantando na casa de um amiguinho é que com toda a probabilidade ela tenha sido obrigada a ter esse tipo de comportamento em casa quando estava crescendo. Quando um jovem de 16 anos entrega seu dever de casa pontualmente todos os dias, é muito provável que seus pais costumavam verificar se ele havia feito o dever todas as noites quando estava no início do ensino fundamental. Em outras palavras, as regras que seus filhos aprenderam com você vão moldar as regras que eles vão impor a si mesmos.

As crianças não vêm ao mundo com a capacidade de se controlar. Elas adquirem essa capacidade ao serem obrigadas a seguir regras estipuladas por seus pais, que colocam limites ao que elas podem e não podem fazer.

Não se preocupe achando que seus filhos se sentirão controlados ou tolhidos. Se você não controlar o comportamento de seus filhos quando ainda forem crianças, eles terão muito mais dificuldade em aprender a se comportar quando forem mais velhos e você não estiver por perto.

É com isso que você deveria se preocupar.

Seja firme, mas justo

Se vocês são bons pais, estabelecerão regras que devem ser obedecidas em cada fase de desenvolvimento da vida de seus filhos. E em cada uma dessas fases eles vão testar os seus limites.

É o que todas as crianças fazem.

Os bebês vão chorar quando você não deixá-los engatinhar em áreas proibidas. Os pequenininhos vão espernear todas as vezes que não ganharem balas no supermercado. Os pré-escolares vão reclamar dos limites dos horários para ver televisão. As crianças que estão no início do ensino fundamental vão se queixar por ter de fazer suas tarefas. Os adolescentes vão contestar tudo o que você disser.

Como mãe ou como pai, uma das suas funções é se certificar de que seus filhos fazem o que é melhor para eles, ainda que discordem. Você tem mais experiência e sabedoria do que eles. Você consegue ter uma visão melhor das coisas. Você pode antever o futuro e não apenas focalizar o momento atual.

Não permita que seu bebê engatinhe em um local inadequado apenas porque ele chora todas as vezes que você tenta impedi-lo. Você tem um motivo para proibir uma determinada área e seu bebê não pode de jeito algum entender a razão.

Não compre balas para sua filha pequena só porque ela está tendo um chilique na fila do caixa do supermercado. Você sabe que não é bom comer muito açúcar, mas ela ainda não aprendeu isso. O chilique dela não será o primeiro nem o último a ser presenciado pelo caixa.

Não deixe seu pré-escolar ficar assistindo à televisão mais tempo do que você considera razoável só porque ele insiste teimosamente. Você estipulou um número determinado de horas para ele ver televisão porque sabe que existem outras atividades, como brincadeiras ou leituras, muito mais benéficas para ele. Seu filho nessa idade não tem capacidade para colocar na balança os custos e os benefícios de um programa de atividades equilibrado. O julgamento dele não é tão bom quanto o seu.

Não libere seu filho de nove anos da obrigação de guardar seus brinquedos só porque o mau humor dele está levando você à loucura. Você já sabe que, na vida, existem coisas que precisamos fazer mesmo quando não estamos a fim. Seu papel é ajudá-lo a compreender isso.

Não altere o horário de chegada de sua adolescente durante a semana só porque ela diz que no seu grupo ela é a única a ter de voltar para casa tão cedo. Você sabe perfeitamente bem que sua filha estará sonâmbula na escola na manhã seguinte se for para a cama tarde e, embora ela possa discordar, é muito mais importante estar atenta na escola do que ficar na rua até tarde com os amigos.

Quando você tem certeza de que está com a razão, fique firme.

Os pais que não são bastante firmes agem assim por duas razões. Alguns cedem o tempo todo porque é mais fácil ceder do que lidar com a resistência da criança a uma regra imposta. Outros cedem porque não conseguem conviver com o fato de os filhos ficarem com raiva deles. Tenho algo a dizer sobre cada uma dessas situações.

Se você não consegue se manter firme porque seus filhos criam um tormento quando você tenta impor suas regras, está permitindo que eles dominem a situação. Você não pode deixar que isso aconteça por dois motivos.

Primeiro, se você cede para não se aborrecer, seus filhos aprendem que chorar, se lamuriar, perturbar ou discutir bastante são bons instrumentos para fazer você finalmente ceder. E vão passar a usar estes instrumentos sempre que quiserem alguma coisa. Segundo, o ato de ceder transmite a idéia de que suas regras não são tão importantes assim. Você quer que seus filhos saibam que, se você estabeleceu uma regra, é porque tinha bons motivos para fazê-lo. Se mudar de idéia a respeito de uma regra e decidir mudá-la, tudo bem. Mas é fundamental que você explique isso para seus filhos em vez de deixá-los pensar que a regra ainda está valendo, mas não está mais sendo imposta.

Haverá ocasiões em que, por se manter firme, você fará seus filhos ficarem com raiva. Você não gosta que lhe digam que você não pode fazer o que quer, e eles também não. Se você for incapaz de se manter firme porque não consegue suportar a animosidade de seus filhos, precisa se lembrar de que, às vezes, seu desejo de agradar e conquistá-los é incompatível com a sua função de mãe ou de pai. Quando isso acontecer, a sua responsabilidade deverá sempre prevalecer.

Sei que não é nada agradável ter filhos zangados conosco. Mas, se você acreditar que a regra que lhes impôs e que a decisão que tomou são para o bem deles, transmita essa segurança e mantenha-se firme. Por exemplo, pense que é muito melhor que eles sintam raiva por uns tempos porque você os obrigou a ir para a cama cedo do que tê-los completamente incapazes de manhã porque não dormiram o suficiente. Seus filhos se esquecerão da disputa muito antes de você.

É normal que nossos filhos fiquem zangados conosco por causa de uma decisão que vai contra a vontade deles. Isso é inevitável, mas quase sempre a raiva desaparece com bastante rapidez. Em geral, as crianças não guardam rancores por tanto tempo quanto os adultos. Mesmo que a raiva não diminua tão rapidamente quanto você esperava, isso não é o fim do mundo. Se o seu relacionamento com eles é basicamente bom, uma disputa sobre uma regra não irá afetar esse relacionamento muito tempo.

Quero deixar algo bem claro. Não estou defendendo a existência das regras e a imposição da sua autoridade só porque você quer que seus filhos saibam quem é que manda. Este tipo de atitude lhes ensinará apenas que a sua autoridade é arbitrária e incentivará a desobediência. Você não quer que seus filhos vejam os pais como tiranos arbitrários. Você quer que eles percebam a sua autoridade como conseqüência da sua sabedoria e mesmo do seu amor. A longo prazo, isso estimulará a cooperação.

Em outras palavras, a *maneira* pela qual as regras são estabelecidas ou impostas é tão importante quanto a existência e imposição delas. Por isso é tão importante aliar justiça à firmeza.

Ser justo significa estabelecer regras que façam sentido, que sejam apropriadas à idade de seus filhos e flexíveis o bastante para acompanhar o amadurecimento deles. As regras que você estipula para seus filhos devem ser aquelas que você considera apropriadas. Elas devem ser fruto de um raciocínio lógico e objetivo.

De vez em quando é aconselhável reexaminar as regras que você estipulou para seus filhos. Se a lógica delas ainda fizer sentido e o objetivo ainda for válido, não há razão para mudá-las. No entanto, se o seu parceiro, ou sua parceira, e mesmo um de seus amigos próximos, lhe diz que uma regra não tem mais utilidade, não faz sentido manter-se inflexível. Ser firme não significa ser rígido.

Às vezes as crianças simplesmente ultrapassam as regras. Por exemplo, você costumava insistir para que seu filho tomasse banho antes de ir para a cama todas as noites, mas agora ele já tem idade suficiente para preferir tomar banho de manhã. Desde que ele tome banho todos os dias, não importa se o faz de manhã ou à noite. Sua nova regra deve estipular que ele tome banho todos os dias no horário que lhe for mais conveniente. Nesses casos, fica claro que a nova regra terá o mesmo propósito da antiga.

Você costumava exigir que sua filha terminasse todo o dever de casa antes de sair para brincar, mas agora ela já demonstra ter mais capacidade para administrar seu próprio tempo. Então, se ela de fato cumpre com suas obrigações escolares, permita que decida quando vai fazê-lo.

Ao mudar as regras quando achar apropriado, você mostra a seus filhos que elas têm como base aquilo que faz sentido e não a vontade de quem está no poder. Isso é crucial, porque acreditar que as regras são justas e sensatas é que faz com que as crianças acatem os desejos de seus pais.

Estabeleça regras para seus filhos, esclareça as suas expectativas e, a seguir, atenha-se a elas, a não ser que você se convença de que precisam ser mudadas ou que é necessário abrir uma exceção temporária. Mas lembre-se de que a decisão para modificar ou afrouxar uma regra temporariamente é exclusivamente *sua* e não da criança. Tome esta decisão por motivos justos e não porque é mais fácil ou mais conveniente do que se ater a seus princípios.

Aja com firmeza, mas lembre-se de agir também com justiça. Esta é a combinação que dá mais resultado.

A importância da supervisão

A partir do momento em que seus filhos começam a ficar fora de casa, é fundamental que você passe a monitorar o comportamento deles. A principal arma que os pais possuem para evitar que os filhos se metam em confusão é conhecer suas atividades, companhias e lugares por onde andam.

A qualquer hora do dia ou da noite, você deverá saber responder a essas três perguntas:

- Onde estão meus filhos?
- Quem está com eles?
- O que estão fazendo?

Não saber responder a essas três perguntas não significa necessariamente que seus filhos estejam fazendo algo errado. Mas se o seu sistema de supervisão for fraco, inevitavelmente aumentará a probabilidade de que, em algum momento, seus filhos venham a se envolver em um ou mais tipos de desvios de comportamento, tais como a delinqüência, o consumo de bebidas alcoólicas e de drogas, ou o sexo precoce.

A supervisão é algo que os pais precisam fazer antes e depois do fato. Você deverá saber o que seus filhos estão planejando antes que saiam e o que, na realidade, aconteceu quando estavam na rua.

Você e seus filhos deverão também ter um entendimento sobre o que fazer quando houver uma mudança de planos ou quando ocorrer um imprevisto. Acredito firmemente que as crianças devem avisar seus pais quando não estiverem no lugar onde eles acham que elas estão. Certifique-se de que seus filhos sempre saberão como encontrar você e de que tenham meios para isso. Pode haver situações que exijam que você encontre seus filhos rapidamente; por exemplo, seu filho está na escola, e você esqueceu de avisar que ele tem uma consulta marcada no dentista. Você não quer passar pela aflição de procurá-lo sem saber onde ele está.

Não existe uma única maneira correta de controlar seus filhos. Isso vai depender em grande parte do tipo de filha ou de filho que você tem.

Alguns pais de sorte têm uma filha que sempre lhes diz onde estará e com quem vai sem que eles precisem perguntar. Além disso, ao chegar em casa, ela lhes conta o que aconteceu em detalhes. Se este exemplo descreve sua filha, a supervisão será fácil. Sinta gratidão por ela estar lhe poupando muito trabalho e a elogie por isso. Diga-lhe o quanto ela é responsável por se lembrar de dizer o que pretende fazer e como isso lhe dá alegria e tranqüilidade.

Alguns filhos não se importam de informar aos pais o que estarão fazendo, desde que estes lhes perguntem. É claro que os pais nem sempre se lembram de perguntar.

Se este é o caso de um de seus filhos, você terá de se habituar a lhe perguntar onde estará, com quem estará e o que estará fazendo todas as vezes que ele sair. Você precisa fazer essas perguntas não apenas no momento em que ele estiver saindo, mas sempre que a programação dele envolver algum tempo longe de você. Por exemplo, se seu filho geralmente está longe da sua supervisão depois que sai da escola, você deverá se certificar, antes que ele saia para a escola de manhã, de seus planos para a tarde. Se você criar este hábito, ele provavelmente começará a lhe informar sobre suas atividades sem que você precise perguntar. Mas, se ele não o fizer, você precisará continuar perguntando.

Como estamos falando sobre supervisão pós-horário escolar, deixe-me acrescentar que as crianças não devem ficar sem a supervisão de um adulto, a não ser que seja absolutamente necessário. Se de fato não houver outro jeito, o melhor lugar para elas se reunirem é em casa, sozinhas ou com uma irmã ou um irmão mais velho e responsável. Permitir que seus filhos e seus amiguinhos se reúnam em qualquer casa sem a presença de um adulto significa chamar problemas. Quando estão com seus amigos sem a presença de adultos, até as crianças mais bem-comportadas se aventurarão a fazer coisas que não fariam sozinhas.

Se por causa de seu horário de trabalho seus filhos menores precisam ficar em casa sozinhos depois da escola, você deverá supervisioná-lo à distância por telefone ou através de um vizinho ou amigo. De maneira geral, acho uma boa idéia ter um conjunto de atividades planejadas para seus filhos fazerem quando estiverem sozinhos (mesmo que esta lista inclua algumas horas assistindo à televisão, é melhor ter um plano do que confiar na sorte) e insistir para que eles se comuniquem com você assim que chegarem em casa (não importa se são eles que telefonam para você ou se é você que telefona para eles).

Se um de seus filhos se mostra acessível sempre que você lhe pergunta sobre seus planos e atividades, é bom que sua pergunta seja feita num tom que demonstre interesse e cuidado, em vez de desconfiança. Não trate seus filhos como se estivessem no banco dos réus. Afinal, não é por desconfiar deles que você lhes faz essas perguntas. Você as faz porque gosta deles, preocupa-se com a segurança deles e cuida para que estejam protegidos. A maioria dos filhos acolhe bem as perguntas dos pais quando estes lhes explicam os motivos. Mas, quando sentem que os pais desconfiam deles, começam a se fechar.

Os filhos mais difíceis de serem supervisionados são os que respondem com evasivas quando lhes perguntam aonde vão ("Vou sair"), com quem estarão ("Com todo mundo") e o que estarão fazendo ("Nada"). Em geral, este tipo de comportamento é bastante comum quando os filhos chegam à adolescência.

É difícil saber que atitude tomar com uma criança que não quer falar sobre suas atividades, companhias ou lugares que freqüenta. Eu não assumiria de imediato que um adolescente que sonega informações esteja aprontando alguma coisa porque, para alguns, a reticência é um reflexo da necessidade de afirmar sua independência dos pais, o que é uma atitude normal na adolescência. Como regra, eu procuraria por outros sinais de problemas (notas escolares mais baixas, sintomas de drogas ou de bebidas alcoólicas, fadiga crônica ou a companhia de jovens problemáticos) antes de assumir que um adolescente lacônico esteja escondendo algo preocupante. Mas se você tem motivos para suspeitar que seus filhos possam estar escondendo de você coisas perigosas, eu aconselharia a perguntar diretamente até sentir ter recebido uma resposta satisfatória.

Muitos pais se questionam se vigiar seus filhos – vasculhar suas gavetas, ler seus e-mails, ouvir suas conversas ao telefone, etc. – é uma boa idéia. Em geral, não acho que seja. Um bom relacionamento entre pais e filhos se baseia na confiança, e espionar seus filhos é uma violação de confiança. Se realmente suspeitar que um deles está usando drogas, se envolvendo em atividades ilegais ou apresentando tendências suicidas, por exemplo, e não conseguir obter informações satisfatórias ao lhe perguntar diretamente, você não terá outra opção: será absolutamente necessário fazer o que for preciso para descobrir o que está acontecendo. Mas você deverá esgotar todas as possibilidades antes de invadir a privacidade de seus filhos.

Não deixe a atitude evasiva de seus filhos, seja ela decorrente de uma necessidade normal de privacidade ou do fato de eles estarem escondendo alguma coisa, impedir que você os supervisione. Se eles não estiverem dispostos a lhe dizer aonde vão, com quem vão e o que fazem quando você não está em casa, não os deixe sair a não ser na companhia de um adulto. Se quiserem ver seus amigos, podem fazê-lo em casa, quando você está presente.

Você não precisa saber de todos os detalhes das conversas que seus filhos têm com os amigos – isso é uma intromissão indevida. Mas, repito: você precisa saber aonde eles vão, o que fazem e com quem passam o tempo. A relação entre uma supervisão fraca por parte dos pais e comportamentos inadequados por parte dos filhos é muito forte e foi documentada em centenas de pesquisas sobre o assunto.

Não importam os meios, certifique-se de que você sabe com quem e onde seus filhos se encontram e o que estão fazendo.

Como administrar conflitos sobre regras

Detesto ver pais adotarem um tipo de conduta que transforma qualquer discussão com os filhos em uma batalha na qual haverá sempre um vencedor e um perdedor. Este tipo de conduta é a mais perfeita receita para um desastre, porque, não importa qual for o resultado da luta, um dos dois vai se sentir derrotado. A solução é descobrir uma maneira de resolver conflitos que faça ambos se sentirem satisfeitos, o que é diferente da sensação de vitória de um sobre o outro.

A existência de conflitos entre pais e filhos é inevitável. Você estabelecerá regras das quais seus filhos discordarão, e vocês brigarão por causa delas. Alguns pais e filhos brigam mais do que outros, mas jamais conheci uma família que não brigasse de vez em quando. Não se preocupe se você e seus filhos ocasionalmente discordarem. No entanto, se esses desentendimentos ocorrerem mais de duas vezes por semana, e quase sempre ficarem fora de controle e chegarem a gritos, xingamentos e até agressão física, sua família deverá procurar uma ajuda profissional. Este grau de animosidade *não* é normal.

Portanto, a questão não é a possibilidade de você e seus filhos entrarem em conflito; vocês certamente entrarão. A questão é saber como você irá resolvê-los e como você e seus filhos se sentirão quando a disputa terminar. Você tem basicamente quatro opções.

Quando você e seus filhos discordarem por causa de uma regra, reveja as razões que o levaram a estabelecê-la. Sua filha de cinco anos se recusa a comer vagem, e você a obriga a ficar sentada à mesa até que acabe de comer tudo. Seu filho de nove anos quer fazer o dever de casa com o som ligado, e você diz que não pode. Sua adolescente discute com você sobre a possibilidade de largar o coral da escola, e você se recusa a lhe dar permissão. Exercer o seu poder absoluto pode resolver o conflito a seu favor, mas seus filhos se sentirão derrotados e injustamente tratados. Isso muitas vezes gera ressentimentos e, mais tarde, rebeldia.

A longo prazo, o domínio absoluto não é uma estratégia eficaz. Você pode achar que venceu, mas na realidade não foi uma vitória sua se seus filhos virem você como uma pessoa tirana e arbitrária. Em geral, as crianças gostam de ter suas opiniões ouvidas e avaliadas (mesmo que não consigam persuadir ninguém), e muito provavelmente no futuro elas se mostrarão mais propensas a obedecer se acreditarem que o conflito foi tratado com justiça. Quando o desentendimento for sobre algo que pode realmente colocar em perigo o bem-estar ou o futuro de seus filhos, você tem todo o direito de exercer a sua autoridade sem discutir. Porém, eu guardaria este tipo de atitude para as raras situações nas quais a ação decisiva de uma pessoa mais experiente é, de fato, essencial.

Uma segunda opção é simplesmente ceder à vontade de seus filhos. Seu filho de quatro anos se recusa a vestir a camisa que você separou para ele ir à escola, e você permite que ele vista a que quer, mesmo que seja a camisa suja usada na véspera. Sua filha de 10 anos lhe diz que está cansada de estudar piano, e você decide não forçá-la. Seu filho de 12 anos insiste em afirmar que a arrumação do seu quarto é problema exclusivamente dele, e você fecha a porta do quarto e finge que não vê a bagunça. Seu filho de 17 anos quer viajar sozinho, e você cede.

O ato de ceder é bom em duas circunstâncias: quando seus filhos estiverem com a razão e quando você tiver tomado a decisão errada (o que acontece de tempos em tempos). Permitir que seus filhos façam o que querem quando tiverem um bom argumento lhes mostrará que você se dispõe a ouvir suas razões e aprender com eles. Isso fará com que se mostrem mais acessíveis quando no futuro discordarem da sua decisão e você estiver com a razão. Como eu já disse antes, não vejo sentido em regras que são injustas e sem fundamento lógico. Elas abalam a sua autoridade, e o fato de você ser a mãe ou o pai não significa que está sempre com a razão. Por outro lado, você precisa ter muito cuidado para não entregar os pontos e ceder só porque é menos desgastante.

Ceder é também uma boa estratégia quando o assunto for insignificante para você, mas importante para seus filhos (por exemplo, a maneira como seu pré-adolescente se veste para uma festa de seus amigos). Os filhos precisam sentir que podem controlar algumas coisas em suas vidas, e é importante ter isso em mente ao iniciar uma discussão. Alguns pais acham que mesmo que insistam em ser obedecidos quando o motivo for desprezível, os filhos não se rebelarão quando o assunto for importante. Eles se agarram à teoria que afirma que quando os pais cedem sobre algo insignificante os filhos começam a desafiá-los em tudo, até em coisas muito mais sérias. Na realidade, é o oposto que acontece. Quando você mostra a seus filhos a diferença entre uma coisa insignificante e algo que não é, você fortalece e justifica seu ponto de vista sobre assuntos sérios.

A terceira estratégia consiste em encontrar um meio-termo. Você insiste para que seu filho de quatro anos coma metade de seu prato de comida antes da sobremesa. Você obriga sua filha de 10 anos a estudar piano, mas apenas a metade do tempo que a professora quer. Você permite que sua filha de 16 anos fique na rua mais meia hora, embora ela tenha lhe pedido mais uma hora.

O meio-termo pode representar uma maneira eficaz de administrar conflitos com seus filhos, desde que esse meio-termo faça sentido e satisfaça as duas partes. Às vezes essa concessão alcança exatamente esse objetivo, mas freqüentemente deixa ambas as partes infelizes. Por exemplo, se seu filho simplesmente detesta vagem, comer meia porção continua sendo insatisfatório para ele. Se sua filha precisa praticar três horas por semana para dominar uma música para o recital, o fato de praticar 15 minutos por dia não levará ao resultado desejado. Se sua filha deseja permanecer até o fim do show com os amigos, permitir que ela fique mais meia hora não solucionará o problema, pois ela terá que partir antes do final. E cada vez que essas situações surgirem novamente você estará de volta à estaca zero: conflitos por causa de brócolis em vez de vagem, de 10 minutos em vez de 20 minutos de prática de piano, e de ter de chegar em casa às 11h30 em vez de às 11h45.

A quarta alternativa – que julgo a melhor – é procurar encontrar uma solução em conjunto. Quando você e seus filhos discordarem de uma regra, veja se conseguem juntos encontrar uma solução que satisfaça a ambos. Em outras palavras, esforce-se para rever a regra, em vez de tentar impô-la de outra maneira.

Talvez você e sua filha de cinco anos consigam elaborar uma lista dos legumes e vegetais de que ela gosta, e você concorde em só servir os que estão na lista. Será um pouco mais trabalhoso, mas menos estressante do que ter de brigar com ela por causa da vagem todas as noites. Talvez você e sua filha de 10 anos possam chegar a um acordo sobre um esquema em que ela praticará o piano por mais tempo, porém menos vezes, para que o total de horas de prática atinja o mínimo necessário. O esquema não importará desde que a prática a ajude a melhorar. Talvez você e sua filha de 16 anos possam conviver com horários ocasionais de chegada mais tarde, desde que ela lhe peça antecipadamente e que o pedido seja razoável. Na realidade, ao deixá-la assumir mais responsabilidade, você a estará ajudando a desenvolver sua maturidade.

Não estou dizendo que esse tipo de acordo seja sempre possível ou apropriado, e, com crianças muito pequenas, encontrar uma solução conjunta pode ser um exercício bem desafiador. Detesto ver pais conversando com seus filhos de três anos como se eles pudessem entender a lógica dos adultos. Mas, de maneira geral, sempre que puder colaborar com seus filhos para resolver um desentendimento você deve tentá-lo. Se por acaso a solução encontrada não der resultado, adote uma das outras estratégias.

A busca conjunta por soluções evita haver vencedores e perdedores, ajuda a criança a se sentir mais madura, lhe ensina algo sobre os benefícios da cooperação e torna improvável o reaparecimento do mesmo ponto de discórdia no futuro porque, quando funciona, essa busca conjunta leva a soluções mais duradouras.

Afrouxe as regras ao constatar o amadurecimento de seus filhos

Com o passar do tempo, ao constatar que seus filhos conseguem cada vez mais administrar sua própria vida, você pode ir gradativamente abdicando do seu controle sobre eles. Durante o desenvolvimento de seus filhos, não deve haver nunca um momento em que você deixe totalmente de impor *certos* limites e *certas* regras. Mas regras e limites devem acompanhar o crescimento da criança.

Alguns pais ficam mais severos quando os filhos crescem porque acham que o que está em jogo é muito mais sério. Segundo eles, uma coisa é ser permissivo demais quando a criança mal tiver largado as fraldas e outra é cometer um erro quando os filhos já estiverem com idade suficiente para se meterem em confusão. Para esses pais, é necessário ser especialmente severo quando os filhos atingem uma determinada idade.

Alguns pais tomam um rumo completamente diferente. Durante o amadurecimento dos filhos, eles praticamente jogam a toalha e abandonam as regras e os limites. Acham que é muito mais fácil fazer isso do que se engalfinharem em brigas sem fim por poder com adolescentes que querem mais liberdade. Consideram que, a partir de uma certa idade, o que fizerem para disciplinar os filhos não fará muita diferença. Por que, então, arriscar a paz familiar por uma causa perdida?

E outros pais procuram não mudar nada. Eles acreditam ter desenvolvido uma estratégia excelente e não vêem por que modificá-la para acompanhar o amadurecimento dos filhos. Na concepção deles, o que funcionava quando as crianças eram menores deveria funcionar mais tarde também. Além de tudo, raciocinam eles, se seu modo de agir não está "errado", não há necessidade de corrigi-lo.

Além de essas três abordagens não funcionarem bem, é muito provável que o tiro saia pela culatra.

Se durante o desenvolvimento de seus filhos você agir com mais severidade, eles vão se rebelar porque é natural que, ao crescerem, esperem ter mais e não menos independência. Se você abandonar todas as suas regras e limites, pode ser que eles passem a andar com uma turma da pesada e adotem um comportamento arriscado e perigoso porque na sua grande maioria os pré-adolescentes tendem a se arriscar quando não são supervisionados por um adulto. E se você simplesmente se recusar a mudar as regras, provavelmente as discussões serão incessantes porque seus filhos acharão que você não reconhece seu crescimento. Discutir com você sobre qualquer coisinha será a maneira de lhe mostrarem que têm mais idade do que você pensa. Você também corre o risco de criar mentirosos.

O mais acertado é ir pouco a pouco eliminando as restrições, mas só à medida que seus filhos mostrarem que já são mais responsáveis. A mudança de regras e de limites estabelecidos se assemelha a dirigir um carro em uma estrada coberta de gelo: você deve evitar acelerar, frear ou mudar de rumo abruptamente. A solução é fazer uma pequena alteração de cada vez e vincular essas mudanças nas regras à capacidade de seus filhos saberem se comportar.

Observe a reação deles cada vez que eliminar uma restrição. Se seus filhos se mostrarem capazes de administrar um grau de liberdade maior com responsabilidade, você terá tomado a decisão correta. Antes de efetuar novas mudanças, mantenha essa situação de menos restrição por cerca de um ano. A não ser que um evento inesperado surja e exija uma nova modificação, não há necessidade de acelerar mais ainda o processo.

Por exemplo, assim que sua adolescente começar a sair à noite, ela deve ter um horário para voltar para casa. Se durante um ano ela demonstrar que é suficientemente responsável para lidar com esse horário de chegada, em ocasiões excepcionais você pode mudar a regra e permitir que ela lhe telefone antes do horário acordado pedindo para estender o prazo – desde que ela não abuse do privilégio, é claro. Esta mudança na regra a premia por ser responsável e lhe dá um grau de independência maior.

Se você suspende uma regra e seus filhos não reagem como deveriam, você provavelmente foi longe demais, rápido demais. Se, por exemplo, sua filha começasse a abusar do privilégio, telefonando para você no último minuto ou ficando na rua até mais tarde e se esquecendo de lhe telefonar antes, ela provavelmente não estaria pronta para uma regra menos rígida. Não acho justo chegar a esta conclusão por causa de uma única infração, mas a política das "duas oportunidades" não é má idéia. Se seus filhos não conseguirem obedecer a uma nova regra menos rígida duas vezes seguidas, meu conselho é voltar atrás e esperar alguns meses para então tentar novamente. Assegure-se apenas de que eles saibam por que você está agindo dessa maneira.

Você pode usar essa estratégia com todos os tipos de regras;

lembre-se apenas de ir bem devagar, de avaliar como seus filhos estão administrando um grau de liberdade maior e de retirar o privilégio se não estiver dando certo. Não pense que você não pode revogar uma decisão depois de tê-la tomado. É claro que pode.

Na maioria das vezes, seus filhos reivindicarão a suspensão de uma restrição estabelecida por você, mas também seria bom que de vez em quando você tomasse a iniciativa a esse respeito. Seus filhos ficarão felizes por sentirem que você confia neles o suficiente para tomar a iniciativa de lhes conceder mais autonomia e independência.

Mas antes de suspender qualquer restrição, é bom você se sentar com sua filha ou seu filho para examinar as regras básicas. Certifique-se de que eles tenham compreendido exatamente quais são as suas expectativas e quais serão as conseqüências do não-cumprimento das regras.

Em vez de deixar-se surpreender, surpreenda-os pelo menos algumas vezes.

PRINCÍPIO 6

Ajude seus filhos a se tornarem independentes

A necessidade de autonomia

A imposição de limites ajuda os filhos a desenvolverem o senso de autocontrole, e o incentivo à independência os ajuda a promover o senso de autodeterminação. Para serem felizes, eles vão precisar de ambos.

A vontade dos filhos de se tornarem independentes dos pais é algo que muito raramente precisa ser incentivado. A maioria se esforça para conseguir uma liberdade maior do que aquela que os pais estão dispostos a lhes conceder.

Aceitar como normal esse desejo de autonomia dos filhos é essencial para um bom desempenho da função de mãe ou de pai. Muitos pais erroneamente confundem essa investida para conseguir independência com rebeldia e desobediência. Os filhos não se esforçam para se tornar independentes porque querem se rebelar contra os pais ou deliberadamente lhes desobedecer. Eles buscam a independência porque esse desejo de se sentir no comando, em vez de se sentir comandado, faz parte da natureza humana.

Se considerar esse desejo por mais independência como uma necessidade natural que deve ser respeitada, em vez de um propósito intolerável que precisa ser eliminado, você evitará muitas dores de cabeça.

Pais inteligentes compreendem que, para administrar essa necessidade de autonomia em filhos de qualquer idade, precisam descobrir como impor limites ao comportamento deles sem fazê-los se sentirem controlados. Sei que soa um tanto difícil, mas, na realidade, é muito mais fácil do que parece. Porém, antes de compartilhar alguns truques com você, eu gostaria de explicar por que essa busca por independência é algo que os pais precisam acatar com sabedoria.

As crianças precisam de uma mistura de liberdade com limites. Se o número de limites que você impõe ao comportamento de seus filhos for insuficiente, eles não conseguirão adquirir um autocontrole adequado. Por outro lado, se você não lhes der uma certa autonomia, eles terão grandes dificuldades quando precisarem agir por conta própria. Se você não lhes conceder suficiente independência, eles provavelmente se tornarão pessoas ansiosas, medrosas, indecisas e muito dependentes. Em outras palavras, a criação de uma criança saudável requer da sua parte um bom equilíbrio entre a imposição de limites e a concessão de independência. E como esse equilíbrio é dinâmico, não é fácil de ser alcançado. Os limites que você impõe mudam de um estágio de desenvolvimento para outro porque você precisa regulá-los de acordo com o amadurecimento de seus filhos. Mas a necessidade de ater-se a eles e de manter o equilíbrio entre a concessão de liberdade e a imposição de limites está sempre presente.

Como mãe ou como pai, um de seus objetivos é fazer com que seus filhos adquiram o senso de autodeterminação e aprendam a tomar as decisões que lhes permitirão administrar suas próprias vidas com responsabilidade. Não estou falando apenas do futuro, quando não estiverem mais morando na sua casa. Estou me referindo também às ocasiões em que estiverem na escola com seus colegas, ou pelo mundo, sem você. Os professores vão esperar que eles sejam capazes de terminar projetos que exigem iniciativa e autodomínio. As outras crianças irão pressioná-los a fazer coisas que eles sabem que são erradas, e eles terão de aprender a defender suas próprias convicções. Seus filhos precisam saber como sair de confusões quando estiverem na companhia de amigos ou sozinhos. Em todas as situações em que você não estará presente, eles terão de tomar decisões sensatas e segui-las com determinação e autoconfiança.

Sempre me surpreendo com pais que imaginam que seus filhos possam ter um tipo de comportamento em casa e outro completamente diferente quando estão com os amigos. Se você exige uma total submissão em casa, você não estará apenas criando uma criança que se submete à vontade dos pais. Você estará criando uma criança que terá muita dificuldade em se auto-afirmar perante *qualquer* um, inclusive outras crianças. É óbvio que você não deseja isso.

Ao permitir que seus filhos possam ter uma certa autodeterminação em casa, você os estará ajudando a desenvolver, praticar e aprimorar as habilidades que lhes permitirão saber como agir quando não estiverem com seus pais. No entanto, se você não lhes concede nenhum grau de independência para tomar decisões, eles jamais aprenderão a fazê-lo.

Agora que você já compreende por que deve conceder uma certa autonomia a seus filhos, podemos conversar sobre como fazer isso de uma maneira que lhe permita ter controle sobre eles, fazendo-os ao mesmo tempo se sentirem suficientemente independentes. As cinco principais atitudes para conceder-lhes uma autonomia benéfica são:

Escolha as batalhas certas. Não faça um escândalo por causa de qualquer coisinha. Evite envolver-se em disputas por poder sobre coisas insignificantes. Quando a decisão de seus filhos realmente não fizer muita diferença, conceda autonomia. Pode ser que seu filho queira vestir roupas com uma combinação de cores desastrosa. Se aquilo que ele escolher não for ofensivo (por exemplo, uma camisa com dizeres de mau gosto) ou inapropriado (calças jeans rasgadas no aniversário de 70 anos da avó), deixe-o vestir o que quiser. Sua filha gosta de fazer o dever de casa com o som ligado. Deixe para lá, desde que não infernize a casa e não desvie a atenção dela. Seu adolescente quer usar o cabelo comprido, mas você prefere curto. Deixe-o usá-lo do jeito que preferir.

Selecione as escolhas de seus filhos. Tomar decisões faz seus filhos se sentirem adultos. Uma boa maneira de se certificar que seus filhos vão tomar a decisão correta é selecionar as alternativas, limitando-as às que você aprova. Quando estiver no restaurante com sua pré-escolar, deixe-a decidir o que quer comer ao fazer com que ela escolha entre alimentos que você considera satisfatórios. É melhor perguntar "Você vai querer comer um cachorro-quente ou um sanduíche de presunto?" do que "O que é que você vai querer comer?", porque talvez ela escolha algo que você não ache conveniente, o que provavelmente levará a uma discussão. Se você quer limitar o tempo que seu filho assiste à televisão a dois programas por dia, mencione quais os programas que ele pode ver e peça para escolher dois. Se você e sua filha de oito anos estão numa loja de brinquedos, pegue vários que sejam aceitáveis e peça para ela escolher um deles. Se está tentando limitar o consumo de doces de sua filha de 12 anos, não tenha doces em casa. É melhor do que precisar brigar cada vez que ela quiser comer um.

Elogie as decisões de seus filhos. Você quer que seus filhos sintam confiança em sua capacidade de tomar boas decisões. Após terem feito uma escolha, diga-lhes que decidiram bem, pressupondo que aquilo que escolheram tenha sido uma das alternativas aprovadas por você. Ao lhes dizer que adorou as roupas que escolheram, ou o melhor prato do cardápio, ou o presente perfeito para o pai, você estará fazendo com que se sintam bem e ajudando a desenvolver sua autoconfiança. Embora essas decisões possam lhe parecer insignificantes, para seus filhos elas são importantes. Mesmo quando seus filhos forem um pouco mais velhos, é bom elogiá-los quando tiverem tomado uma decisão difícil e sabido lidar com uma situação de maneira responsável.

Ajude seus filhos a avaliar opções complexas em vez de tomar as decisões para eles. Às vezes o que parece ser a escolha óbvia para você não é tão óbvia para seus filhos. Ajudar os filhos a compreender por que uma opção é melhor do que a outra é mais proveitoso do que simplesmente fazer a escolha certa para eles. Suponha que seu filho queira gastar o dinheiro que recebeu de presente de aniversário e esteja escolhendo entre dois brinquedos, ambos aceitáveis, mas você sabe que um deles é muito mais frágil. Em vez de decidir por seu filho, examine com ele os dois brinquedos. Diga algo como "Ambos parecem bem divertidos, mas você não acha que este aqui vai quebrar com muita facilidade?". A seguir, deixe-o decidir. Se ele escolher o mais frágil, não faz mal; aprenderá com a experiência. Com um filho mais velho, você também pode sugerir o que ele deve levar em consideração ao tomar uma decisão importante sem, na verdade, tomar a decisão por ele. Se sua filha está tentando se decidir entre vários estágios, por exemplo, você pode ajudá-la a entender que o salário não é o único fator a ser considerado e que talvez valha mais a pena pegar um estágio que pague menos, mas que a preparará melhor para uma carreira futura. Mas deixe-a escolher. Se mais tarde ela se arrepender, não diga de forma alguma "eu bem que falei!".

Deixe seus filhos aprenderem com seus erros. Alguns pais acham difícil conceder aos filhos alguma autonomia porque se preocupam com a possibilidade de eles tomarem decisões erradas e ficarem frustrados ou aborrecidos. No entanto, muitas vezes é importante permitir que eles tomem decisões que a você pareçam erradas, desde que não sejam capazes de produzir conseqüências desastrosas. Para nós, pais, isso é difícil porque não queremos conscientemente expor nossos filhos ao desapontamento. Contudo, você quer que eles aprendam que independência significa ter de enfrentar as conseqüências das próprias decisões. Esta situação freqüentemente ocorre quando os filhos estão tentando decidir no que gastar o próprio dinheiro. Você já sabe que as propagandas são elaboradas para fazer os produtos parecerem melhores do que são na realidade. Mas seus filhos podem não aceitar sua opinião. Eles terão de efetuar algumas compras erradas de sua própria escolha para que a lição comece a ser absorvida.

Seus filhos têm uma necessidade normal de se tornarem independentes de você. Dê-lhes bastante autonomia, mas faça-o de maneira que você possa manter sempre o controle.

Como enfrentar a contestação e a oposição

Uma vez, a mãe de uma jovem de 13 anos me disse que ela e a filha brigavam tanto que conviver com sua adolescente era como ser mordida até a morte por cães. Foi a única vez em que ouvi uma mãe ou um pai fazer essa comparação, mas aposto que muitos pais já se sentiram assim algumas vezes.

Se você perguntasse a um grupo de pais para indicar a fase mais difícil do desenvolvimento de seus filhos, o início da adolescência tiraria o primeiro lugar, e a primeira infância, o segundo. Isso não surpreende. É durante esses dois períodos que as crianças se mostram mais contestadoras. E, em geral, essas contestações giram em torno de mais ou de menos autonomia.

Na primeira infância, as discussões ocorrem por causa do que a criança veste, come e brinca. No início da adolescência, os confrontos em geral se relacionam a assuntos como a limpeza do quarto, a hora de voltar para casa e a quantidade de tempo dedicada aos deveres e trabalhos de casa. Embora as particularidades das disputas possam diferir entre as duas fases, o ponto principal é o mesmo: a criança contesta e reage porque quer mais autonomia do que você se dispõe a lhe dar.

Embora a contestação e a oposição sejam irritantes, elas são atitudes normais nos filhos que estão brigando por mais independência durante a primeira infância e a adolescência, e estão associadas a uma maior capacidade de articular seus desejos. Como a criança já consegue usar as palavras para se comunicar com você, seu ex-bebê verbaliza sua oposição às restrições que você tenta lhe impor, e seu adolescente, que já aprendeu a usar uma lógica adulta, irá partir para o confronto.

O que estou querendo dizer é que muito daquilo que parece um desejo maior de desafiar qualquer solicitação sua só para ser espírito de porco na realidade não é. Sua filha de três anos finalmente desenvolveu as habilidades orais necessárias para discordar de você e quer usá-las (mesmo que seu vocabulário ainda seja limitado, mas já está muito mais sofisticado do que era alguns meses antes). Seu filho de 13 anos, de repente, desenvolveu a habilidade de argumentar com mais clareza: de fazer abstrações, de desempenhar o papel de advogado do diabo e de descobrir falhas no raciocínio dos pais. Parte deste antagonismo é a maneira que ele tem de afirmar sua individualidade, o que é muito normal nessa fase de desenvolvimento. É natural que queira mostrar suas novas habilidades. Não é que ele tenha se tornado mais contestador – é que agora ele já aprimorou suas táticas.

Para os pais, é muito difícil ver a contestação e a oposição como traços desejáveis nos filhos, mas, se você pensar melhor, provavelmente constatará que são. Para ser sincero, eu me preocuparia com uma criança pequena que nunca fosse do contra e me inquietaria por causa de uma adolescente que aceita tudo o que os pais lhe dizem sem pestanejar. É evidente que a rebeldia constante não é sinal de desenvolvimento saudável, mas a passividade demasiada, na idade em que as crianças verbalizam suas opiniões, é muitas vezes um sinal de imaturidade. Isso não é necessariamente preocupante, a não ser que persista (mais cedo ou mais tarde, a maioria das crianças muito obedientes passará por um período de resistência à autoridade materna ou paterna), mas é algo que deve ser observado.

Se você tem uma filha muito submissa, esforce-se para encorajá-la a dizer o que pensa e faça o possível para deixá-la saber que pode ter e deve manifestar suas opiniões, mesmo sejam contrárias às suas. De vez em quando, pergunte-lhe o que ela deseja, diga-lhe que você não consegue chegar a uma conclusão e que precisa de sua ajuda para decidir. Pelo mesmo motivo, durante as discussões familiares você deveria dizer a uma adolescente excepcionalmente submissa que gostaria de ouvir sua opinião a respeito do assunto. Como já expus, a submissão excessiva não é o que, em geral, leva os pais à loucura. Quase sempre, é a constante confrontação com a sua autoridade que constitui o problema.

Assim que os filhos demonstram capacidade de brigar pelo que querem, sua necessidade de afirmação geralmente diminui um pouco. É por isso que o "terrível dois" (que, em geral, ocorre perto dos três anos) é geralmente seguido de um período surpreendentemente agradável, e pela mesma razão as brigas do início da adolescência começam a diminuir quando os adolescentes chegam aos 15 anos. É como se em cada uma dessas fases os filhos já tivessem se afirmado e estivessem prontos para seguir em frente. As crianças pequenas que continuam a ser do contra ou desafiadoras durante os anos em que estão no início do ensino fundamental e os adolescentes que se mostram rebeldes durante os últimos anos do ensino fundamental geralmente possuem problemas (muitas vezes esses problemas estão no relacionamento com um dos pais ou com ambos). Se este for o caso de algum de seus filhos, talvez você deva procurar a ajuda de um especialista.

A oposição na primeira infância e a contestação na adolescência são comportamentos temporários que desaparecem quando os filhos ultrapassam a necessidade de afirmar sua individualidade. A maneira correta de lidar com isso não é tentando esmagar esse desejo de independência, mas concedendo uma autonomia que confirme essa recém-descoberta autodeterminação sem enfraquecer a sua autoridade ou colocar em perigo o bem-estar de seus filhos. Na seção anterior (A necessidade de autonomia) sugeri várias estratégias com esse objetivo.

O fato de seus filhos estarem desafiando você pode ser um bom indício. É sinal de que estão crescendo. Se algum deles está passando por uma dessas fases, tente ver o lado positivo de suas atitudes, mantenha o seu senso de humor e não se esqueça de que essa fase também vai passar.

Conceda a seus filhos um espaço psicológico

O ato de ajudar os filhos a desenvolver um senso de independência saudável exigirá dos pais duas providências diferentes.

A primeira, que já analisei antes, consiste em descobrir um equilíbrio entre a imposição de limites e a concessão de autonomia. Você precisa estipular um certo número de restrições à criança para ajudá-la a aprender a se autocontrolar e a não se envolver em confusões, mas precisa também lhe propiciar inúmeras oportunidades de tomar suas próprias decisões e, assim, desenvolver um senso de autodeterminação saudável.

A segunda implica descobrir o grau de envolvimento emocional correto. Para poderem desenvolver um senso de segurança, seus filhos precisam saber que os pais estão emocionalmente presentes e disponíveis para eles. Mas você não vai querer que o seu enorme envolvimento emocional com seus filhos os faça se sentirem sufocados por sua excessiva atenção. Para que possam desenvolver a autoconfiança, seus filhos precisam de espaço psicológico. Se você se intrometer demais, a autoconfiança será enfraquecida.

Não estou sugerindo que você se mostre indiferente nem que contenha suas demonstrações de amor por seus filhos. Estar presente e disponível não é sufocar. As crianças precisam sentir-se ao mesmo tempo ligadas aos pais e separadas deles. Alguns pais se envolvem tanto na vida dos filhos que prejudicam essa sensação saudável de separação que confere a eles um senso de individualidade.

Para realmente compreender o que é ter uma mãe ou um pai emocionalmente interferente, quero que você imagine como é o relacionamento com uma pessoa que monitora todos os seus estados de espírito, que lhe pergunta o tempo todo como é que você está se sentindo e que observa você de tal maneira que, muitas vezes, você tem a sensação de sufocamento. É claro que nenhum de nós quer ter um relacionamento com uma pessoa que ignora nossos estados de espírito, que se mostra indiferente às nossas emoções e que não consegue compartilhar nossos sentimentos. Mas o outro extremo – a intromissão emocional – é tão desconfortável quanto a indiferença, só que de forma diferente.

Deixe-me dar outro exemplo. Você está tentando consertar algo, e uma pessoa chega perto e pergunta se você precisa de ajuda. Você agradece, diz que não, mas ela permanece ali, junto de você, observando fixamente enquanto você trabalha. Não seria insuportável, se você estivesse querendo ficar em paz?

Às vezes seus filhos precisam ficar sozinhos. Para os pais, é muito difícil aceitar isso, mas há momentos em que, apesar de estar triste ou aborrecido, seu filho prefere isolar-se e ruminar sua tristeza do que ser consolado por outra pessoa. Se os pais não agüentam e interferem, vão privar o filho de aprender essa importante habilidade. Às vezes vejo pais correrem para levantar e consolar uma criança de três anos que acabou de tropeçar e cair antes que ela consiga se levantar e se recompor. Situações semelhantes podem ocorrer em qualquer idade. Freqüentemente, é a reação exagerada dos pais, e não o acontecimento em si, que aborrece a criança. Se ela se machucou ou se ela solicita sua ajuda, você precisa cuidar dela. Mas, às vezes, o que ela precisa é daquele seu olhar tranqüilizador e amoroso que lhe diz que ela vai ficar bem. Não deixe a angústia que você está sentindo fazer sua criança se sentir pior do que já está.

Os pais certamente devem estar atentos para saber qual é o estado de espírito dos filhos, mas fazer isso de forma natural, sem demonstrar preocupação, sem questioná-los a todo momento. Estar disponível, transmitir aos filhos a certeza de que podem confiar em você e contar com sua ajuda quando desejarem lhes dá a segurança emocional de que precisam. O fato de apresentarem altos e baixos em seus estados de espírito é absolutamente normal, e só raramente justifica uma atuação especial da sua parte. É óbvio que, se a criança estiver muito afetada ou sofrendo, você terá de descobrir o motivo e decidir se há alguma coisa que possa ser feita para aliviar sua angústia. Mas se você reagir a qualquer mudança de estado emocional de seus filhos como se o mundo estivesse acabando, provavelmente vai fazer com que eles se sintam mais angustiados do que aliviados.

Pais intrometidos também tentam resolver os estados emocionais dos filhos, em vez de ajudá-los a aprender a lidar com esses sentimentos sozinhos. Nenhuma mãe e nenhum pai quer ver os filhos deprimidos, zangados, tristes ou frustrados. Mas você precisa deixar que eles sintam o que estão sentindo. Nunca procure minimizar as emoções de seus filhos, negando seus verdadeiros sentimentos ("Isso é bobagem", "Na verdade, você não está com raiva do seu amigo, está apenas desapontado"), ou intervindo prematuramente para evitar uma dificuldade, como achar a solução para um quebra-cabeça difícil para seu filho no momento em que ele demonstrar o menor sinal de frustração.

Na minha opinião, seus filhos têm o direito de viver seus próprios sentimentos, por mais desconcertantes que eles lhe possam parecer. Dizer a uma criança que ela não está sentindo o que na realidade está a fará sentir-se confusa sobre seus próprios sentimentos ou irá ensinar-lhe que é errado demonstrá-los para os outros. Também me preocupo com pais que transmitem a seus filhos a noção de que há sentimentos pouco apropriados. Por exemplo, dizer aos meninos que eles não podem estar com medo, ou às meninas que elas não estão, de fato, com raiva. Todas as emoções são legítimas, não importa o gênero da pessoa. A última coisa que você quer é que, além de estarem com medo ou com raiva, seus filhos se sintam culpados ou envergonhados.

Uma outra forma de intromissão emocional que eu presencio é aquela em que os pais respondem a perguntas direcionadas a seus filhos antes que eles possam fazê-lo. Por favor, deixe seus filhos responderem, mesmo que encontrem alguma dificuldade. Quando você responde no lugar deles, é como se dissesse que são incapazes ou que seus sentimentos não têm importância. Mais uma vez, tente se colocar no lugar de seus filhos. Se alguém respondesse sempre por você, depois de algum tempo esse tipo de comportamento provocaria em você um sentimento de desvalorização. É exatamente assim que você fará seus filhos se sentirem se responder às perguntas por eles. Deixe-os falar por si mesmos.

Até agora só me referi à intromissão emocional em sentimentos negativos, mas os pais podem também se intrometer demais quando os sentimentos são positivos. Estou me referindo àqueles pais que ficam tão excitados com as vitórias e os sucessos de seus filhos que o seu próprio grau de entusiasmo ofusca qualquer alegria que os filhos estejam vivenciando. Quando esta atitude é freqüente, geralmente ela diminui a felicidade dos filhos, fazendo com que sintam que a vitória pertence mais aos pais do que a eles. É importante compartilhar as conquistas de seus filhos, mas faça-o de maneira que não diminua a alegria deles.

É essencial também que você dê a seus filhos uma certa privacidade em sua vida emocional. Se sua filha de nove anos voltou da escola visivelmente aborrecida, pergunte o que aconteceu. Mas, se ela não quiser falar sobre o assunto, não insista. Deixe apenas ela saber que quando quiser lhe contar você estará disponível. Tenha paciência para esperar esse momento. Sua adolescente pode estar muito angustiada por causa do término de seu namoro, mas querer discutir o assunto com você, com seu irmão mais velho, com sua melhor amiga ou não querer discutir com ninguém é um direito dela.

É evidente que você quer saber o motivo da angústia de seus filhos. Mas, na adolescência, eles precisam ter um espaço pessoal de privacidade para se sentirem crescidos. Se você não conseguir conviver com isso, vai estimular a imaturidade emocional de seus filhos.

Nem sempre os filhos conseguem expressar o desconforto que a intromissão emocional de seus pais produz e muitas vezes eles têm dificuldade em pedir aos pais para se afastarem. Mas o fato de se sentirem vigiados de perto, de terem seus sentimentos constantemente investigados e suas emoções excessivamente compartilhadas com outra pessoa é tão desagradável para uma criança e um adolescente quanto para um adulto.

Envolva-se, mas não sufoque seus filhos com a sua presença.

Não interfira demais na vida de seus filhos

Vou repetir: em todas as idades, seus filhos precisam de alguma liberdade para poderem sentir que, apesar dos limites, têm algum controle sobre suas vidas. É importante impor limites e estabelecer normas, mas você precisa deixar espaços de liberdade para que decidam algumas coisas sozinhos.

Não se intrometa demais na vida de seus filhos.

Os pais são freqüente e desnecessariamente autoritários em relação aos hábitos alimentares, às brincadeiras favoritas, às amizades e aos horários de lazer de seus filhos. No entanto, estas são algumas das áreas em que você pode ceder um pouco e permitir que eles façam suas próprias escolhas.

Uma boa parte da intromissão materna ou paterna ocorre à mesa do jantar. Acho que é importante as crianças aprenderem a comer corretamente, mas isso pode ser conseguido com lembretes ocasionais e carinhosos e não fazendo uso de uma correção contínua. Qual é a conseqüencia de sua filha de quatro anos comer todas as cenouras do prato antes dos pedaços de galinha, ou vice-versa? Um garoto de seis anos pode ser aconselhado, de vez em quando, a tirar os cotovelos da mesa ou a se sentar direito, mas muito provavelmente ele se esquecerá dessas coisas quando estiver entretido com a conversa. Se você fica observando tudo o que seus filhos fazem e os repreende por qualquer deslize, as refeições em família, que deveriam ser momentos agradáveis, se tornarão um verdadeiro inferno. Não existe nada mais irritante do que sentar a uma mesa de jantar cuja conversa é dominada por pais que estão constantemente corrigindo os filhos.

Os pais deveriam também resistir à tentação de se intrometer demais nas brincadeiras dos filhos. Com uma criança pequena, por exemplo, é bom impor algum controle sobre as brincadeiras ao decidir quais brinquedos são apropriados, mas depois deixe a criança escolher do que quer brincar e como quer fazê-lo. Talvez você preferisse ver seu filho colorindo as figuras de um livro por dentro das linhas, mas, se ele preferir rabiscar a página, deixe-o. Algumas crianças gostam de copiar as ilustrações das caixas de brinquedo quando estão montando seus blocos de construir, e outras preferem produzir suas próprias criações. Qualquer uma dessas opções é válida – deixe a criança decidir. Se você comprou para seu filho um estojo de tintas e um bloco de papel para pintar, é melhor colocá-lo em uma mesa protegida com muitas folhas de jornal do que ficar o tempo todo por perto, constantemente pedindo para ele não respingar a tinta e manchar a mesa.

O mesmo princípio se aplica aos encontros de seus filhos com outras crianças para brincar. É importante que as crianças sintam que estão promovendo suas próprias brincadeiras em vez de terem de seguir um roteiro criado pelos pais. Quando seus filhos convidarem um amiguinho para brincar, supervisione-os, mas de uma distância que permita que brinquem do jeito que quiserem. Muitas vezes as crianças gostam de criar para seus jogos regras diferentes das que foram estabelecidas pelos adultos e aprendem bastante sobre cooperação e justiça com este processo. É claro que você deve intervir quando achar que alguém pode se machucar, quando as crianças parecerem estar tendo dificuldades em solucionar um problema ou quando lhe pedirem ajuda. Caso contrário, não se intrometa.

Alguns pais continuam a se intrometer na vida social de seus filhos até muito tempo depois de eles já terem capacidade para administrá-la sozinhos. A não ser que ela lhe peça, sua filha de 11 anos não precisa de seus conselhos para resolver um conflito com sua melhor amiga, sobre o que vestir na festa da escola ou em como dizer a um menino que lhe demonstra interesse que ela não sente o mesmo. Ela ficará muito mais satisfeita ao resolver um problema sozinha do que se obedecer à sua detalhada lista de instruções.

Também me incomoda ver crianças com programações diárias elaboradas em seus mínimos detalhes por pais que têm a necessidade de preencher todos os momentos livres da criança com uma atividade planejada. Não é bom as crianças ficarem tão ocupadas a ponto de se sentirem estressadas ou pressionadas. As atividades extracurriculares são um complemento importante para o que a criança faz na escola, mas ela também precisa ter um tempo livre que possa administrar.

Se você se intromete na vida de seus filhos a ponto de transformar experiências que deveriam ser divertidas em experiências desagradáveis, você, com toda a certeza, está abusando da sua autoridade.

Quando os pais organizam em detalhes todos os momentos da vida de seus filhos, acabam com a diversão. É bom que os pais estejam disponíveis para ajudar, aconselhar e orientar, mas não para sufocar a criança com suas eternas sugestões, instruções, recomendações e ordens. Se agir assim, você criará filhos estressados e tensos.

Proteja quando for necessário, mas consinta quando puder

Além de estipular regras que determinem o que seus filhos podem ou não fazer, é bom ter algumas diretrizes para quando seus filhos lhe pedirem algo novo ou inusitado. Em muitos casos, você saberá exatamente o que fazer. Mas, quando seus filhos ficarem mais velhos, inevitavelmente ocorrerão situações imprevistas que farão você se perguntar qual é a atitude correta.

Para as decisões em que não sabe se diz sim ou não, é útil seguir a seguinte regra geral: *proteja quando for necessário, mas consinta quando puder.*

Em outras palavras, nas situações em que a sua decisão pode ser qualquer uma, tente maximizar a autonomia de seus filhos desde que isso não ponha em risco a saúde, o bem-estar e o futuro deles.

Na hora de tomar uma decisão, o melhor a fazer é perguntar-se:

Será que o que minha filha ou meu filho quer fazer é perigoso? Por mais que seus filhos lhe peçam, não os deixe participar de atividades perigosas. Isso inclui tudo, desde andar de bicicleta sem capacete, atravessar um local perigoso desacompanhados ao voltar da escola ou de algum programa, ou andar em um carro dirigido por um amigo que ainda não tirou a carteira de motorista. Nesses casos, é preferível pecar por precaução.

Será que o que meus filhos querem fazer não é saudável? Você não pode permitir que seus filhos não vivam de forma saudável.

De vez em quando, almoçar besteira, passar um fim de semana em frente à televisão, fazer um ocasional programa noturno que acabe mais tarde do que seu horário habitual ou ir uma noite para a cama sem escovar os dentes não vai prejudicar seus filhos. Mas não será saudável permitir que esses hábitos se tornem rotina. E é óbvio que os pais não devem jamais permitir que seus filhos consumam bebidas alcoólicas, fumo ou drogas ilegais.

Será que o que meus filhos querem fazer é ilegal ou imoral? Cabe a você ajudar seus filhos a desenvolverem uma noção do que é certo e do que é errado. Em parte, os filhos aprendem isso observando os pais, mas a maneira pela qual estes reagem quando os filhos lhes fazem perguntas sobre questões morais e legais é muito importante também. Os filhos quase nunca pedem explicitamente permissão aos pais para participar de atividades ilegais ou pouco éticas, mas você se surpreenderia se soubesse quantas vezes as crianças conversam com seus pais sobre colar na escola, roubar em lojas, mentir, transgredir, etc. Às vezes as crianças relatam aos pais suas próprias transgressões para descobrir se eles se opõem seriamente ao que fizeram. Você jamais deveria, em sã consciência, permitir que seus filhos fizessem algo que represente uma violação da lei ou que fira a ética, e é necessário deixar bem claro o seu ponto de vista sobre o assunto.

Será que o que meus filhos querem fazer pode acabar em confusão? Às vezes seus filhos lhe pedirão licença para fazer algo que quase inevitavelmente vai resultar em algum problema. Seu filho de 10 anos quer passar a tarde na casa de um amiguinho cujos pais vão estar ausentes. Sua filha de 14 anos lhe pergunta se o namorado pode ir para a sua casa enquanto você estiver no trabalho. Seu filho de 15 anos quer convidar um pequeno grupo de amigos próximos para uma festa em sua casa quando você estiver fora. Seu filho de 16 anos lhe pede permissão para ficar na rua com os amigos até de madrugada. A maioria das situações perigosas em que as crianças e os adolescentes se envolvem acontece quando eles se reúnem sem um adulto por perto. Não permita que seus filhos se coloquem em situações que sua intuição diz serem potencialmente arriscadas.

Se algo der errado, as conseqüências serão irreparáveis ou difíceis de serem desfeitas? Durante o crescimento, seus filhos com certeza tomarão decisões equivocadas, mas felizmente a maioria delas não deixará conseqüências permanentes. No entanto, o que em determinado momento parece ser uma decisão inofensiva pode, na realidade, ter conseqüências muito duradouras. Por exemplo, aceitar que sua filha tenha notas muito baixas em matemática nos últimos anos escolares talvez pareça uma decisão inofensiva na época, mas poderá limitar suas opções ao entrar para a faculdade. (O fato de ela não gostar de matemática na escola não significa que vá obrigatoriamente sentir a mesma dificuldade cinco anos depois.) Seus filhos que se preocupam apenas com o aqui-e-agora com toda a certeza não vão analisar todas as possíveis implicações de uma decisão. Se no futuro eles sofrerem por causa de uma decisão que forem tomar agora, você deve intervir.

Aqui vai o meu conselho: quando seus filhos lhe pedirem permissão para fazer algo diferente e você não souber ao certo o que responder, percorra essa lista. Peça um tempo para refletir e se aconselhar. Se seus filhos tiverem lhe pedido para fazer alguma coisa que não é perigosa, insalubre, ilegal, arriscada ou irreversível, sugiro que você peque por indulgência. No entanto, se este não for o caso, opte pela precaução e lhes explique as razões da sua decisão.

Às vezes, ao tomarem uma decisão sobre um pedido de uma filha ou de um filho, os pais não levam em consideração as particularidades da situação, porque não querem abrir um mau precedente. Por exemplo, imaginam que, se uma noite permitirem que o filho fique assistindo à televisão porque gosta especialmente do programa, ele insistirá em fazê-lo repetidamente.

Ou que, se permitirem que sua filha "mate aula" um dia porque está muito cansada, ela começará a pedir para fazer isso regularmente.

Acho que você não deve preocupar-se em criar precedentes. Afinal, você não está escrevendo leis ou apresentando uma opinião legal. As situações variam e mudam com o crescimento das crianças. O que pode ter sido inapropriado quando seu filho tinha 10 anos pode ser perfeitamente aceitável agora que ele está com 14.

O melhor para os pais é serem equilibrados e conscienciosos. Pais indulgentes que aceitam as transgressões, ou pais repressores que desejam apenas manter o poder e a autoridade, podem prejudicar a saúde emocional dos filhos. Analise cada situação individualmente. Isso leva mais tempo, dá mais trabalho, mas é a maneira mais inteligente de agir e corresponde ao que você está buscando para seus filhos.

PRINCÍPIO 7

Seja consistente

Seja coerente dia após dia

O fator que mais contribui para os problemas de disciplina das crianças é a falta de consistência nas atitudes dos pais. Se suas regras mudam de um dia para o outro de maneira imprevisível, ou se você as impõe apenas de vez em quando, o mau comportamento de seus filhos será culpa sua, não deles.

A maneira mais fácil de ajudar uma criança a aprender como se comportar direito é transformar o bom comportamento em um hábito que lhe dê segurança. Você consegue isso mantendo atitudes consistentes dia após dia.

Quando se trata de disciplina, os pais se preocupam muito sobre o quanto devem punir, premiar ou explicar com paciência. Todos esses instrumentos são eficazes para fazer com que seus filhos aprendam a se comportar, mas a persistência das suas atitudes é a ferramenta disciplinadora mais importante. Pode ter certeza: se você não for consistente em suas regras, expectativas e colocação de limites, seus filhos não vão aprender a se comportar direito.

Se você estabelece que sua filha de quatro anos precisa recolher e guardar os brinquedos quando tiver acabado de brincar, mantenha sempre a sua exigência. Não exija que ela o faça apenas quando você quiser ter tudo arrumado. Sua filha não consegue distinguir seus desejos. Ela não sabe quando você vai estar com a síndrome da arrumação.

Se você quer que seus filhos de cinco e seis anos parem de bater um no outro, você terá *sempre* que apartar suas brigas. Sua exigência não funcionará se você intervir apenas quando estiver com dor de cabeça ou quando as brigas forem muito irritantes. Se quer que realmente parem de brigar, você terá de interferir todas as vezes.

Se você quer que seu filho de 10 anos telefone para o seu trabalho todos os dias assim que chegar da escola, ele só o fará se você repreendê-lo quando ele deixar de ligar. Para que o hábito se torne rotina, você precisa demonstrar consistência na sua expectativa.

Se você disse para sua filha de 12 anos que ela pode passar uma hora por dia navegando na Internet, não permita que ela pouco a pouco aumente esse tempo sem a sua permissão. Antes de você se dar conta, ela ficará na Internet cerca de três horas por dia.

Se você disse para seu filho, que acabou de receber a carteira de motorista, que ele só pode dar carona para os amigos depois de pelo menos seis meses (uma ótima idéia, porque os caronas adolescentes aumentam o risco de acidentes para motoristas inexperientes), você tem que ser muito firme nesta determinação e até privá-lo temporariamente do uso do carro quando ele não obedecer.

Muitas vezes, uma mãe ou um pai é inconsistente sem saber. Se você não está conseguindo disciplinar seus filhos, a primeira coisa a fazer é avaliar se o problema não está na sua inconsistência. Examine esta possibilidade antes de considerar outras explicações.

São muitas as causas para a inconsistência nas atitudes dos pais, mas o estresse é provavelmente a mais significativa. Quando os pais estão enfrentando grandes pressões, eles se distraem com facilidade e perdem o foco do seu objetivo. Isso acontece com freqüência quando o casal está passando por mudanças significativas, como uma separação, ou quando a família está tendo problemas financeiros. Se a sua família está vivendo uma dessas crises, você deveria se esforçar mais ainda para ser consistente nas atitudes em relação a seus filhos.

É surpreendente a rapidez com que as crianças param de se comportar mal quando os pais fazem um esforço consciente para impor suas regras de maneira confiável. Se você não está conseguindo que seus filhos façam o que você determinou, em geral só vai precisar de duas semanas de disciplina clara e consistente para conseguir uma melhora substancial em sua casa.

A importância das rotinas

Para os pais, é muito mais fácil se mostrarem consistentes em seus atos disciplinares quando a vida familiar está organizada. Momentos de crise causam confusão, e pais confusos quase sempre são inconsistentes.

Uma forma de resolver isso é adotando rotinas diárias estáveis. Elas ajudarão a produzir consistência no desempenho dos pais.

Procure estabelecer rotinas que regulem o ritmo diário da sua casa. Sempre que possível, a sua família deveria fazer as refeições nos mesmos horários; seguir as mesmas rotinas para as tarefas cotidianas, tal como vestir os filhos, levá-los e buscá-los na escola, prepará-los para dormir; ir para a cama e levantar-se mais ou menos à mesma hora todos os dias (ter um horário regular para dormir é saudável tanto para as crianças quanto para os adultos). É bom afrouxar um pouco a rigidez das rotinas durante os fins de semana, mas lembre-se de que quanto mais você se afastar da rotina do dia-a-dia aos sábados e domingos, mais difícil será para seus filhos voltar para a programação diária nas manhãs de segunda-feira.

Para as crianças, é fundamental manter o mesmo horário de ir para a cama todas as noites, a não ser em circunstâncias extraordinárias em que isso seja impossível (você está visitando amigos da família e o programa vai além do que esperava) ou necessário (você prometeu levar sua filha a um show e ele acaba mais tarde do que seu horário habitual de ir para a cama). Ter um horário regular de ir para a cama que permita que seus filhos possam dormir um número de horas suficientes facilitará muito o seu trabalho. Crianças que não dormem o suficiente freqüentemente se mostram irritadiças e são difíceis de serem disciplinadas com eficácia.

Já que estamos tratando de horários de ir para a cama, deixeme falar um pouco a respeito dos padrões de sono dos adolescentes. Este é um assunto que gera muitos conflitos entre pais e filhos.

O cérebro possui um "relógio" interno que gera um ciclo regular de dormir e acordar diário. Podemos sentir mais energia na parte da manhã ou no final do dia, mas, qualquer que seja a nossa característica, em geral nos sentimos totalmente alertas durante alguns períodos do dia e muito sonolentos em outros.

Os cientistas descobriram que depois da puberdade há uma mudança biológica no relógio do cérebro dos adolescentes, o que faz com que seja mais difícil para eles pegar no sono à noite. Quando o horário de dormir habitual se aproxima, eles se sentem exatamente como nos sentimos quando tentamos adormecer sem estarmos cansados. O problema é que, quando vão dormir muito tarde, torna-se difícil acordá-los cedo, e por isso muitas vezes ficam bastante apáticos durante as primeiras aulas da parte da manhã.

Você pode combater essa tendência natural dos adolescentes de quererem ficar acordados até tarde obrigando-os a levantar cedo todos os dias da semana; quando isso é feito com regularidade, esta atitude anulará a mudança biológica de seu relógio interno.

No entanto, se você obriga seu adolescente a levantar cedo durante os dias da semana, mas permite que ele durma até tarde aos sábados e domingos, você cancela o efeito do esforço anterior e para ele será muito difícil acordar cedo nas manhãs seguintes.

Lembre-se de que o principal fator de regulagem do relógio interno do sono de seus filhos é a hora em que eles *acordam* e não a hora em que vão dormir. Em outras palavras, você pode permitir que durante os fins de semana seu adolescente fique acordado até quando quiser, desde que insista para que ele se levante na mesma hora em que precisa se levantar nos dias de aula. Prepare-se para uma briga, mas ela vale a pena, porque se seu adolescente parecer um zumbi nas manhãs de segunda ou terça-feira o provável culpado é o horário de acordar nos fins de semana. Você terá de decidir se quer enfrentar essa contestação para sanar o problema.

As rotinas familiares fazem os filhos se sentirem seguros e amparados, porque sabem o que esperar. Sejam relativas a horários de ir para a cama, de tomar banho, de fazer as refeições ou de estudar, elas ajudam as famílias a funcionarem com mais eficiência. É por isso que muitas vezes os filhos insistem para que os pais sigam os mesmos rituais. Se a rotina de sua filha de três anos inclui um banho seguido de duas histórias e uma canção de ninar, ela não gostará se numa determinada noite você mudar a rotina e começar a cantar depois da primeira história. Ela vai corrigir você, cobrando a segunda história, e não vai querer ouvir a canção de ninar até que você a conte. Se você estiver com pressa na hora de botar a sua filha na cama, em vez de pular uma etapa é melhor ater-se à rotina e encurtar as histórias.

A sensação de segurança que as crianças obtêm com as rotinas diminui um pouco quando elas crescem e adquirem mais controle sobre suas próprias vidas. Também é mais difícil manter as rotinas familiares quando os filhos se envolvem em atividades depois da escola, programas de fins de semana e noturnos.

Mas, mesmo durante a adolescência, é bom manter algum tipo de regularidade nos hábitos de funcionamento diário da sua casa. Isso ajuda a estabelecer um ritmo que faz com que o ambiente pareça mais calmo e facilita muito a consistência do seu desempenho.

Qual é a importância de uma frente unida?

Uma das perguntas que os pais mais fazem é sobre a importância de manterem uma frente unida em assuntos relacionados à disciplina.

A resposta mais simples é que depende da idade dos filhos. Quanto menor for a criança, maior será a importância de os pais se mostrarem unidos. E isso vale para pais casados, separados, divorciados, ou num segundo casamento.

As crianças pequenas (com seis anos ou menos) ficam confusas quando um dos pais estipula regras diferentes daquelas que o outro estipulou, ou quando um deles impõe as regras e o outro, não. Nessa idade, elas não conseguem compreender por que o pai diz uma coisa e a mãe, outra. Para elas, só há uma maneira "correta" de fazer as coisas. Quando os pais não apresentam uma frente unida, isso se torna um problema, porque os filhos verão um deles como certo e o outro como errado. Com o passar do tempo, isso só enfraquecerá o respeito da criança por aquele que elas quase sempre acharem que está no lado errado.

A necessidade de ver o mundo em branco ou preto pouco a pouco diminui entre os seis e os 11 anos. Meu conselho é que se os filhos ainda não tiverem 11 ou 12 anos, os pais deveriam apresentar uma frente unida. Se os dois conseguirem resolver suas diferenças entre eles, isso facilitará muito a vida dos filhos.

Uma frente unida é certamente desejável quando os filhos estiverem mais velhos ou já adolescentes, mas não é absolutamente necessária. Após terem completado 11, 12 anos, os filhos passam a compreender que as pessoas podem ter pontos de vista diferentes sem que isso signifique que uma está certa e a outra, errada. Em geral, elas atribuem as diferenças nas opiniões dos pais a diferenças em suas personalidades ou valores. Por exemplo, em vez de verem um dos pais como certo e o outro como errado, elas passam a ver um dos pais como rígido e o outro como flexível. É claro que isso pode gerar outros problemas: uma criança esperta logo aprenderá a abordar o mais flexível quando quiser pedir permissão para fazer alguma coisa, e a jogar os pais um contra o outro. Mas isso é algo que você provavelmente saberá solucionar com as orientações que se seguem.

Se os pais tiverem opiniões diferentes sobre como administrar um determinado problema disciplinar, o primeiro passo é discutir o assunto longe dos filhos. Esta é uma boa idéia, independentemente da idade deles.

Se as divergências vierem à tona na frente dos filhos (por exemplo, o casal está vendo televisão quando a filha pré-adolescente entra, pede permissão para fazer um piercing no nariz e o marido se choca ao ouvir sua esposa concordar com a idéia), é bom dizer para a filha que os dois precisam discutir o assunto antes de tomarem uma decisão. Isso é menos complicado quando nenhum dos dois tiver emitido uma opinião, mas mesmo quando um já se pronunciou, não há por que não dizer que vocês precisam discutir o assunto. No entanto, seja o que for, não se deve resolver o impasse na frente dos filhos. Pai e mãe não sabem se a conversa será curta, simples e calma, ou longa, complicada e acalorada. E não é bom para os filhos participarem de uma discussão conflitiva.

Quando o casal estiver sozinho para discutir o assunto, deve procurar, com a maior serenidade possível, encontrar objetivos comuns e compreender o ponto de vista um do outro. É preciso examinar qual é a posição mais consistente com os princípios que os dois vêm tentando seguir. Isso os ajudará a discernir qual a melhor atitude a tomar.

Às vezes um de vocês está muito envolvido para analisar o assunto com objetividade. Se não conseguem encontrar uma solução que seja aceitável pelos dois, e se a decisão não precisar ser tomada imediatamente, deixem o assunto de lado e mais tarde ou no dia seguinte revejam-no. Um de vocês pode mudar de opinião.

É óbvio que haverá assuntos em que os dois não chegarão a um acordo, mesmo depois de o terem discutido à exaustão. Nesses casos, vocês terão de escolher uma solução e adotá-la, sabendo que poderão voltar atrás mais tarde se concluírem que estavam errados. São poucas as decisões irreversíveis, e, caso você descubra que se enganou, é sempre possível mudar de opinião.

Quando o casal não consegue chegar a um acordo, em geral não é difícil encontrar uma solução para opiniões opostas adotando uma das seguintes táticas:

- *Ao decidir, leve em consideração para qual dos pais o assunto em questão é mais importante.* Se você não se importa tanto, não faz sentido mostrar-se inflexível. Haverá ocasiões em que a situação será diametralmente oposta, e você gostará de ter seu ponto de vista acatado.

- *Peque por precaução.* Em relação aos filhos, é sempre melhor tomar uma decisão cautelosa. Se você quer flexibilizar o horário de chegada de um deles, mas seu parceiro ou sua parceira não concorda, siga o instinto dele ou dela.

- *Ao decidir, leve em consideração qual dos dois sabe mais a respeito do assunto.* Se o ponto em questão está relacionado à saúde da criança e o pai ou a mãe é médico, este provavelmente terá mais condições de tomar uma decisão.

- *Ao decidir, leve em consideração quem será mais afetado pela decisão.* Se a sua decisão for afetar a rotina diária de seu parceiro ou de sua parceira, mas não a sua (talvez a decisão implique que o outro terá de gastar horas extras levando e buscando a criança em vários lugares), deixe que ele ou ela se pronuncie mais.

- *Quando todas as tentativas falharem, decida na base da igualdade.* Se praticamente todas as últimas decisões tiverem favorecido a opinião de um dos pais, talvez seja hora de deixar que o outro decida.

Depois que o casal tiver encontrado uma solução, é importante que eles se apóiem, mesmo que um dos dois continue discordando da decisão final. Apoiar um ao outro não é o mesmo que apresentar uma frente unida.

Se os filhos já tiverem idade suficiente para compreender que duas pessoas podem discordar e ambas terem razões para defender seu ponto de vista, não há por que não dizer a eles que, embora o pai e a mãe não concordem, resolveram tomar a decisão baseando-se em outras considerações (era a opção mais segura, era muito mais importante para um dos pais do que para o outro, facilitará a vida de um dos dois, etc.). Esse tipo de atitude ensinará aos filhos a importante lição sobre a necessidade de fazer concessões quando o relacionamento é saudável. Eles não aprenderão isso se, embora discordando, vocês procurarem apresentar uma frente unida.

No entanto, apoiar um ao outro significa que, mesmo que vocês não concordem, um não deverá nunca enfraquecer a decisão ou a autoridade do outro estabelecendo uma cumplicidade com os filhos, ajudando-os a contornar a situação, fechando os olhos quando perceber que violaram a decisão.

Esse tipo de sabotagem acontece com freqüência quando pais separados não conseguem resolver suas diferenças amigavelmente, mas acontece também em lares em que os pais estão casados, em geral quando um dos dois, por insegurança, tem medo de contrariar os filhos. Essas alianças secretas e não verbalizadas entre um dos pais e os filhos são prejudiciais porque enfraquecem a autoridade do outro e fazem os filhos se sentirem culpados por estarem transgredindo a decisão que lhes foi comunicada. Quando ainda são pequenas, as crianças podem parecer preferir o pai ou a mãe "legal", mas a longo prazo a maioria dos filhos crescerá respeitando o pai ou a mãe que agiu com responsabilidade e sentirá menos apreço por aquele que se comportou de forma infantil.

Se sua filha está zangada porque a decisão tomada não era a que ela esperava, e você tiver sido o pai ou a mãe responsável pela decisão, não se preocupe. Isso não chega a constituir problema desde que um dos pais não seja regularmente forçado a assumir o papel de "intolerante" e desde que algumas de suas decisões agradem a filha. Se um dos filhos constantemente recebe um não como resposta e a culpa é sempre atribuída a um dos pais, ele provavelmente passará a sentir raiva da mãe ou do pai responsável pela decisão.

Quando o casal não concordar, não se envolva em uma luta por poder sobre a questão. Esta não é uma batalha para decidir qual dos pais é mais forte, mais inteligente, mais encantador ou melhor. Para qualquer falta de acordo, a solução correta é a que for melhor para os filhos e não a que estabelece a autoridade de um dos pais sobre o outro. Afinal de contas, não se trata de uma competição entre os dois, mas da felicidade dos filhos.

Seja consistente sem rigidez

Demonstrar consistência na maneira pela qual você disciplina uma criança não é a mesma coisa do que adotar atitudes rígidas. Os bons pais são flexíveis sem serem inconsistentes.

A diferença entre consistência e rigidez é que a disciplina consistente se adapta a cada situação, enquanto a disciplina rígida é sempre a mesma, não importam as circunstâncias. Este tipo de inflexibilidade é ridículo e só serve para afirmar sua autoridade sobre os filhos. Como já expliquei, as regras não existem para mostrar quem é que manda. Elas existem para ajudar a orientar o comportamento de seus filhos, e uma orientação inteligente exige uma avaliação de cada situação e uma ação adequada a ela.

Nas regras, a inflexibilidade assume várias formas. Por exemplo, alguns pais insistem que, qualquer que seja a situação, todas as regras devem ser cumpridas à risca. Para eles, qualquer violação de uma regra ou de uma expectativa, não importam as circunstâncias, é indesculpável. Exigem que um pré-escolar a quem foi dito que não pode comer sobremesa até acabar tudo o que está no prato termine de comer algo que ele detesta. Esperam que uma garota de 12 anos se recuse a ajudar uma amiga que está sofrendo só porque o dever de casa deve ser feito assim que ela chegar da escola. Determinam que uma adolescente conclua até o meio-dia de sábado a tarefa que tem que entregar na segunda-feira e a privam de ir ao cinema com colegas porque terminou o trabalho às duas horas. No entanto, o atraso ocorreu porque ela lia um livro que não conseguia largar.

Abrir algumas exceções para as regras estabelecidas não enfraquece a sua autoridade. Pelo contrário, ela fica fortalecida porque a flexibilidade mostra que as regras são sensatas, não são arbitrárias. Um pré-escolar não ficará doente por deixar de comer o alimento que detesta e se de vez em quando os pais permitirem que ele vá direto para a sobremesa. Na verdade, quanto mais você transformar a sobremesa em um prêmio especial, mais a criança vai querer comê-la. A garota de 12 anos pode ir ajudar a amiga e fazer o dever de matemática depois do jantar. Até porque o desenvolvimento da solidariedade é tão importante quanto o desenvolvimento acadêmico. Uma adolescente já tem idade suficiente para administrar o tempo de que vai precisar para completar uma tarefa. Além do mais, por que interromper a leitura de um livro se a tarefa podia esperar e se o gosto pela leitura é tão desejável?

Alguns pais são tão rígidos que simplesmente não admitem mudar regras que estão erradas ou não estão funcionando. Uma menina de cinco anos tem dificuldade em dormir todas as noites porque está sendo colocada na cama cedo demais, mas os pais insistem em manter aquele horário. Um menino de oito anos não tem permissão para ir sozinho até a casa de um amiguinho que mora perto, embora a vizinhança seja segura e todos os seus colegas da rua possam ir de uma casa para outra. Uma garota de 13 anos não pode ir ao cinema com um grupo de amigos sem a presença de um adulto, embora esta seja uma atividade social comum entre seus colegas de classe.

Não é uma atitude inconsistente rever regras quando você percebe que elas possam estar erradas ou inapropriadas à idade de seus filhos. Tenha bom senso.

Adiar em meia hora o horário de sua filha ir para a cama pode facilitar em muito o trabalho de colocá-la para dormir e, ao mesmo tempo, permitir que ela durma o número de horas necessário. Ao conversar com outros pais cuidadosos, você pode certificar-se de que a vizinhança é suficientemente segura para uma criança da idade de seu filho andar sozinha. Deixar que sua filha de 13 anos saia com um grupo de amigos, mas exigir que venham apanhá-la um pouco antes da sessão do cinema e trazê-la de volta assim que acabar, permitirá que ela tenha uma vida social apropriada à sua idade e que seus pais exerçam controle sobre os lugares que ela freqüenta e de que maneira gasta seu tempo livre.

Todos os pais inevitavelmente estabelecem algumas regras que se mostram inadequadas. Contudo, não faz sentido manter uma regra que claramente não está alcançando o seu propósito só para não se desdizer ou admitir que cometeu um erro. Quando uma das suas regras não está atingindo o objetivo que você pretendia alcançar, apesar da sua constante imposição, analise o objetivo. Quase sempre existe outra maneira de atingir o mesmo resultado. Em outras palavras, as suas intenções podem ser boas, mas talvez você tenha de procurar outra maneira de colocá-las em prática.

Ser flexível significa também entender as razões que levaram seus filhos a transgredir as regras. Às vezes os filhos desrespeitam as regras inadvertidamente ou até com boas intenções. Antes de repreendê-los, descubra os motivos.

Seu filho de seis anos quebrou um vaso em um cômodo da casa onde não podia brincar ao tentar arrancar um de seus brinquedos favoritos da boca do cachorro que tinha corrido para dentro daquele cômodo. Um menino de seis anos pode se ver facilmente envolvido pelo momento, sem imaginar as conseqüências de suas ações. Seu filho de 10 anos usou o computador quando você não estava em casa porque precisava entrar na Internet para fazer uma pesquisa para um trabalho a ser entregue no dia seguinte. Acidentalmente, deletou um arquivo no qual você vinha trabalhando porque não verificou se precisava salvar algum dado antes de desligar o computador. Sua adolescente não telefonou para avisar que chegaria mais tarde porque, depois do show, ela e seus amigos ficaram presos num engarrafamento e ela se esquecera de carregar a bateria do telefone celular antes de sair de casa.

A maneira apropriada de reagir a uma criança que infringiu uma regra por razões compreensíveis é explicar a ela o que poderia ter sido feito ou o que deve fazer na próxima vez que a situação surgir (pedir ajuda para recuperar o brinquedo, telefonar para o seu escritório antes de usar o computador, parar no primeiro telefone público para explicar o atraso). Ao tomar decisões sobre disciplina, o que importa são os motivos e não as ações.

Seja consistente, mas flexível. No fim, você conseguirá um melhor comportamento de filhos emocionalmente saudáveis, e esta será sua recompensa.

Identifique os seus pontos inegociáveis

Ao tentar decidir quando deve ser flexível e quando se manter firme, é bom ter uma idéia dos seus pontos "não negociáveis". Pontos inegociáveis são aquelas regras que, por serem tão importantes, é perfeitamente apropriado impô-las com rigor.

Não sou eu que devo lhe dizer quais deveriam ser os seus pontos inegociáveis, porque isso vai depender da idade de seus filhos, da situação da sua família e dos seus valores pessoais. A regra inegociável quando a criança ainda era muito pequena (ficar vendo televisão até mais tarde) pode se tornar um pouco mais flexível quando ela estiver mais velha (eventualmente, e dependendo do programa, a criança pode ir dormir mais tarde). O que poderia ser inegociável para uma família que mora num bairro perigoso (voltar para casa a pé desacompanhada) pode não ser para uma família que mora num lugar tranqüilo, onde andar na rua é seguro. O que poderia ser inegociável para uma família muito religiosa (ir à missa aos domingos) talvez não fosse para uma família que dá menos importância à religião (a criança decide quando vai acompanhar os pais).

A sua lista de inegociáveis deveria ser curta e incluir apenas as regras relacionadas à saúde, à segurança dos filhos, a tradições e valores familiares muito arraigados ou que possam envolver atividades ilegais.

Como um exercício, talvez fosse interessante o casal se sentar e analisar o que pode entrar na categoria de inegociável para os dois.

Acredito que ser irredutível sobre assuntos menos relevantes (o que a criança veste, o estado de arrumação de seu quarto, o tipo de música que ouve, o comprimento do cabelo) dificulta a adoção de uma postura firme nas questões mais importantes. Alguns pais acreditam que adotar posições irredutíveis em *qualquer* assunto é o correto, mas eu creio que ocorre exatamente o oposto. Se você se mostra flexível sobre assuntos menos importantes, seus filhos entenderão quando você se recusar a ceder sobre pontos cruciais.

Isso é especialmente verdadeiro quando os filhos atingem 10, 11 anos e começam a compreender a diferença entre aquilo que representa meramente uma questão de gosto – nesses casos é "injusto" você exercer um controle unilateral sobre as decisões deles – e assuntos que são legitimamente decididos pelos pais, e, gostem eles ou não, os dois têm o direito de impor.

Não estou sugerindo que são seus filhos que devem decidir se a sua autoridade é legítima ou não. Mas conseguir compreender como os filhos pensam a respeito dessas questões pode ajudar você a se tornar uma mãe ou um pai melhor e a diminuir o número de disputas e brigas desnecessárias. Você se surpreenderá ao saber, por exemplo, que os filhos, na realidade, sabem quais são os assuntos sobre os quais devem opinar e que se mostrarão menos propensos a desafiar você se o ponto em questão envolver conseqüências sérias (por exemplo, fumar cigarros) do que se envolver conseqüências triviais (por exemplo, tingir o cabelo). Muitos pontos que os pais consideram inegociáveis e que os pré-adolescentes e os adolescentes contestam talvez estejam nessa categoria.

Saiba quais são os seus pontos inegociáveis, mas não elabore uma lista mais longa do que o necessário. Quanto mais a sua autoridade tiver a sabedoria como fundamento em vez de poder, menos seus filhos a desafiarão.

PRINCÍPIO 8

Evite castigos severos

Os filhos devem ser punidos?

Existem apenas três maneiras básicas de obrigar seus filhos a mudar de comportamento quando fizerem alguma coisa que você desaprove: puni-los, premiá-los por algum comportamento desejável, ou dizer-lhes que o que fizeram está errado e explicar-lhes como é que você gostaria que se comportassem da próxima vez.

Por exemplo, se seu filho tem puxado o rabo do gato e você quer que ele pare de fazer isso, pode puni-lo todas as vezes que ele puxar o rabo do gato, premiá-lo todas as vezes que ele brincar direitinho com o gato, ou lhe explicar que ele machuca o gato quando puxa o rabo dele e pedir para não fazer isso outra vez. Quando adotadas corretamente, todas essas alternativas provavelmente funcionarão até certo ponto.

A maioria dos pais acaba usando uma mistura de castigos, prêmios e explicações, dependendo das circunstâncias, da idade da criança e da natureza da ação.

Mesmo que, por princípio, você se oponha firmemente a punir seus filhos, haverá ocasiões em que prêmios ou explicações não produzirão resultados. Por isso, mesmo que você deseje punir seus filhos o mínimo possível, é importante compreender como e por que o castigo funciona.

É totalmente errada a teoria de que a punição é, por natureza, nociva ou menos eficaz do que o uso de prêmios ou explicações. Quando se trata de punição, o fundamental não é discutir se ela deve ser aplicada, mas *quando* e *como*. Tanto castigos quanto prêmios e explicações podem ser instrumentos eficazes se forem adotados corretamente. Caso contrário, são improdutivos.

Existem muitas maneiras de castigar uma criança, mas todas se resumem a duas categorias. A primeira é a que os psicólogos chamam de "declaração de supremacia". O significado da declaração de poder é literal: a punição tem como base a supremacia do poder dos pais sobre os filhos. Se você espanca sua filha, grita com ela, a põe de castigo, tira seu brinquedo favorito ou a manda para o quarto sem sobremesa, você está usando a sua declaração de supremacia. Algumas formas de declaração de supremacia são bem aceitáveis (castigos, retiradas de privilégios), outras (surras, gritos) não são, por motivos que explicarei em seguida.

A outra ampla categoria de castigos é a que os psicólogos chamam de "remoção do amor". Isso não significa que você esteja retirando seu amor quando pune seus filhos dessa maneira. A remoção do amor está ligada a qualquer tipo de punição que tem como objetivo fazer a criança se sentir triste, culpada ou envergonhada por ter desapontado ou aborrecido os pais. Quando você deixa de falar com seus filhos, quando age com indiferença ou frieza porque está com raiva, quando diz que eles causaram decepção, você está usando a remoção do amor. Assim como no caso da demonstração de supremacia, existem formas aceitáveis de remoção do amor (dizer a seus filhos o quanto o desapontaram) e formas que não deveriam ser usadas (dizer a seus filhos que você sente vergonha de ser sua mãe ou seu pai).

O primeiro passo para a punição ser eficaz é conseguir compreender a diferença entre a declaração de supremacia e a remoção do amor, porque as duas abordagens funcionam por motivos diferentes. Depois de compreender isso, você poderá entender melhor quando uma abordagem vai ser mais eficaz do que a outra.

A declaração de supremacia só é eficaz se você tiver poder sobre seus filhos. É por isso que muitas formas desse tipo de punição só funcionam quando a criança é muito pequena. Por exemplo, levantar o tom de voz para uma criança de quatro anos pode ser eficaz porque a raiva de um adulto é amedrontadora, mas com toda a probabilidade será inútil fazê-lo quando ela estiver com 14 anos, porque de um modo geral nessa idade os adolescentes já não terão mais medo dos seus gritos.

Portanto, quanto mais velhos forem seus filhos, menos eficaz será a declaração de supremacia como um método disciplinador. Isso talvez pareça óbvio, mas, considerando o número de pais que vejo gritando com os filhos mais velhos, estou certo de que muitos não compreendem que não podem declarar sua supremacia a um adolescente da mesma maneira como o fazem com uma criança pequena.

A remoção do amor só funciona se a criança gosta de você o bastante para se sentir culpada, triste ou envergonhada quando sabe que você se aborreceu ou se desapontou com ela. Se você tem uma relação muito próxima com sua filha, a remoção do amor será eficaz em qualquer idade para fazê-la parar de fazer o que você não quer. No entanto, se a relação é mais distante, fingir indiferença é pura perda de tempo. Se seus filhos não se importam em lhe desagradar, o seu desapontamento não fará com que se sintam culpados ou arrependidos.

O ponto principal da primeira regra da punição eficaz é que, para ser produtiva, qualquer punição precisa ser *desagradável*. Se você quer punir seus filhos, por exemplo, privando-os de qualquer coisa, você precisa privá-los de algo que vá realmente lhes fazer falta e pelo tempo necessário para desejarem o que lhes foi tirado. Se você quer punir seus filhos proibindo-os de sair, terá de manter a punição até eles se sentirem mal por estarem isolados.

A maioria dos pais compreende essa lógica geral, mas seu método de punição não é eficaz porque não gostam de fazer os filhos se sentirem mal. No entanto, a punição só funciona se fizer os filhos se sentirem suficientemente mal para não repetir o mau comportamento.

É por isso que você não pode punir uma criança mandando-a para um quarto repleto de brinquedos, de jogos eletrônicos ou de inúmeras coisas para diverti-la. Se a criança não se importa de ser mandada para o quarto, esta tática não pode ser usada como punição eficaz. Da mesma forma, não adianta prender a criança no quarto e deixá-la sair assim que reclamar.

Não tenho como lhe apontar a melhor maneira de punir seus filhos, porque o que faz com que se sintam mal varia de criança para criança. Privar um filho do uso do telefone só funcionará com filhos que têm muitos amigos, mas se mostrará ineficaz com um filho retraído. Retirar a mesada semanal de uma criança que depende de você para obter dinheiro funcionará; mas retirar a mesada semanal de um adolescente que tem um emprego de meio expediente pouco adianta.

Certamente, você irá descobrir a melhor maneira de punir, de fato, seus filhos. Mas lembre-se: cada filho tem que ser punido de forma diferente, de acordo com a idade, personalidade, interesses, etc.

Para que uma punição seja eficaz é preciso ter em mente que existem dois outros aspectos a serem considerados.

O primeiro surpreenderá você: para ser eficaz, a punição tem que ser aplicada consistentemente. Na realidade, a consistência com que você pune o mau comportamento dos filhos é muito mais importante do que a maneira como você o faz. Se quer que seu filho pare de dizer palavrões, o ato de puni-lo cada vez que xingar (por exemplo, cortar uma parte de sua mesada semanal para cada palavrão dito) eliminará o problema com muito mais rapidez do que se você punir ocasionalmente. O castigo só funciona quando a criança sabe que você vai reagir da mesma maneira cada vez que ela se comportar mal.

O segundo é a rapidez com que você reage. Quanto mais rápida for a sua reação quando a criança se comportar mal, mais eficaz será a punição. Se, por exemplo, você quer fazer a criança parar de berrar, em vez de esperar até o berreiro começar a irritar a família inteira, é melhor puni-la assim que começar. Isso é especialmente verdadeiro com crianças pequenas, porque quanto maior for o intervalo entre a infração e a punição, mais dificuldade ela terá de associar a punição ao comportamento que a gerou. Se você esperar até ela ter berrado pela décima vez antes de puni-la, ela não saberá se o errado é berrar ou berrar 10 vezes. Você lastimará essa falta de clareza quando ela berrar nove vezes na próxima ocasião.

Quando uma criança leva um pito logo após ter corrido para a rua, no futuro este tipo de reação provavelmente evitará ações semelhantes com muito mais eficácia do que se o pai ou a mãe protelar a recriminação até o final do dia. Da mesma maneira, uma mãe ou um pai que ao pegar seu filho furtando manifestar na hora o seu desapontamento, com toda a probabilidade causará na criança uma impressão muito mais forte do que uma mãe ou um pai que ignora o delito na hora e não reage prontamente. É por isso que a tática disciplinar "Espere até seu pai chegar em casa" não é boa: ela introduz um bom espaço de tempo entre a infração e a punição.

Se a idéia de fazer seus filhos se sentirem mal é inaceitável, você terá de se contentar com prêmios e explicações como ferramentas disciplinares. É óbvio que isso é possível, mas essa tática dificultará sua vida porque existem situações nas quais o castigo é o método mais simples e eficaz. Se seu filho continua a bater no irmãozinho menor, apesar de você ter mandado parar, ele deve ser punido. Se seu filho furta alguma coisa, ele deve ser punido. Se seu filho mente descaradamente para você, ele deve ser punido.

O fato de punir com mais ou menos freqüência não é tão importante quanto fazê-lo corretamente. É inútil aplicar um meio-castigo, e na verdade é cruel, porque você fará seus filhos se sentirem mal, mas não o suficiente para que isso venha a ter qualquer efeito duradouro.

É aceitável punir uma criança quando for necessário, desde que a punição não seja corporal, verbalmente ofensiva ou cruel de alguma outra maneira. No entanto, quando punir seus filhos, certifique-se de que a punição é desagradável, consistente e prontamente aplicada.

Se a idéia de fazer seus filhos se sentirem mal ao serem punidos ainda continua incomodando você; pense da seguinte forma: quanto maior for a eficácia da sua punição, menos você terá de aplicá-la.

Jamais use castigo corporal

Se você tivesse de escolher entre dois medicamentos igualmente eficazes, e um deles causasse efeitos colaterais terríveis e o outro não, pressuponho que você escolheria aquele que não causasse os terríveis efeitos colaterais.

Espero que você use a mesma lógica ao escolher entre duas formas de punição aparentemente eficazes. A curto prazo, ambas podem apresentar a mesma eficácia, mas a longo prazo os efeitos colaterais são muito diferentes.

Entre todas as formas de punição que os pais usam, o castigo corporal é a que causa os piores efeitos colaterais. Este tipo de punição não é mais eficaz do que os outros – na verdade, em muitas situações ele é *menos* eficaz – e além disso já ficou comprovado que é prejudicial ao desenvolvimento da criança. É por isso que você jamais deveria espancar, bater, esbofetear ou usar de qualquer outra forma de agressão física para punir seus filhos.

Quando eu digo *nunca*, quero dizer *nunca*. Não importa com quanta raiva você esteja. Não importa o que eles possam ter feito. Não importa o seu nível de frustração, desespero ou indignação. A longo prazo, em vez de solucionar, o castigo corporal cria problemas.

O principal efeito colateral da punição corporal é a agressividade excessiva. As crianças que são espancadas, surradas ou esbofeteadas mostram-se mais propensas a brigar com outras crianças. Elas tendem a ser mais agressivas e a usar a agressão para resolver disputas com outras crianças. Quem pode culpá-las? Seus pais lhes ensinaram que bater em alguém é uma maneira aceitável de resolver conflitos.

Além de já ser em si um problema muito sério, a agressividade excessiva gera outras dificuldades igualmente graves. As crianças e adolescentes excessivamente agressivos tendem a ser rejeitados por seus colegas de classe, a se envolver em problemas com a escola e a desenvolver comportamentos inaceitáveis desde cedo. Todas essas situações podem gerar dificuldades acadêmicas e levá-los a fazer amizades com colegas anti-sociais e delinqüentes. Ao espancar seus filhos, você estará aumentando a probabilidade de todos esses problemas virem a ocorrer.

Tenho certeza de que você conhece muitas pessoas que foram espancadas ou surradas quando crianças e que no entanto se tornaram cidadãos populares, bem-sucedidos e exemplares. Talvez você ou seu parceiro tenha sido um deles. Há exceções individuais a cada regra geral, mas esses casos não comprovam a incorreção da regra. Como você sabe, nem todas as pessoas que fumam desenvolvem câncer de pulmão, mas seria tolice argumentar que o fumo não aumenta o risco de desenvolver a doença. Seguindo o mesmo raciocínio, nem todas as crianças que sofreram castigos corporais desenvolvem uma agressividade problemática, mas a probabilidade de isso vir a ocorrer é significativamente maior do que com as outras crianças.

O castigo corporal é também uma escolha errada, porque, ao

aplicá-lo, você pode facilmente perder o controle e causar um dano sério à criança. Na verdade, são poucos os pais que batem nos filhos com a intenção de machucá-los. (Aqueles que fazem isso precisam de ajuda profissional.) Porém, alguns pais têm muita dificuldade em controlar a sua raiva após terem começado o espancamento; outros simplesmente não conhecem a própria força. Se você espanca ou surra seus filhos com regularidade, mais cedo ou mais tarde eles vão se ferir.

Já que você tem alternativas eficazes à sua disposição, por que arriscar a integridade física de seus filhos?

Se precisar punir um de seus filhos, faça-o falando-lhe do seu desapontamento com suas atitudes, ponha-o de castigo (se ele for pequeno) ou prive-o de alguma coisa de que ele goste (se for mais velho). Estas táticas funcionam tão bem quanto o castigo corporal, só que não causam efeitos colaterais.

Deixe-me repetir mais uma vez apenas para ter certeza de que você compreendeu o meu ponto de vista: *jamais* espanque, surre, esbofeteie ou use qualquer outro tipo de agressão física para punir seus filhos. O vínculo entre castigo corporal e agressividade foi cientificamente comprovado em centenas ou talvez milhares de pesquisas.

O castigo corporal é prejudicial às crianças.

Não use linguagem ofensiva

Já vi vários pais berrarem ou gritarem com seus filhos de uma maneira tão ríspida que chega a ser ofensiva.

Assim como o castigo corporal, dirigir-se aos filhos com muita raiva ou crueldade produz efeitos colaterais que, com o passar do tempo, prejudicarão o desenvolvimento deles. Na realidade, as crianças que foram verbalmente atacadas por seus pais muitas vezes apresentam mais distúrbios psicológicos – que vão da baixa auto-estima à agressão – do que as que sofreram castigos corporais.

Ser firme não significa ser cruel. São coisas completamente diferentes.

Quando você está disciplinando seus filhos por causa de um mau comportamento, não há razão para menosprezá-los ("Você é tão infantil"), ridicularizá-los com ironia ("Ah, esta foi uma idéia brilhante"), humilhá-los ("Não posso acreditar que criei tal imbecil") ou acusá-los ("Você está sempre infernizando a minha vida"). Para fazer com que entendam o motivo do seu descontentamento, não é necessário ralhar com eles, gritar ou levá-los às lagrimas por causa do que fizeram. Eles compreenderão melhor as razões se você for firme e conservar a calma.

O uso de uma linguagem ofensiva não causa apenas efeitos colaterais nocivos. Ele é também ineficaz por duas razões.

Em primeiro lugar, o sucesso do seu desempenho depende, em parte, do fato de seus filhos acreditarem que você os respeita. Se você constantemente repete que não gosta deles, o quanto são incompetentes ou como gostaria de que fossem iguais a outra pessoa (um irmão, um primo, o melhor amigo), você enfraquecerá a qualidade do vínculo emocional entre vocês, tornando-se uma mãe ou um pai menos eficiente. Lembre-se, falar da decepção que você sentiu com um determinado comportamento é perfeitamente aceitável, mas só terá efeito se seus filhos prezarem a sua opinião a respeito deles. Portanto, quanto mais cruéis e mesquinhos os pais forem, menos os filhos prezarão a opinião deles. É uma simples questão de bom senso.

Em segundo lugar, quando o conteúdo do que você estiver dizendo a seus filhos for hostil ou carregado de raiva, eles serão impactados pelo tom da mensagem e não para a verdadeira substância do que você está querendo transmitir. Você, por acaso, já deu uma fechada num carro e recebeu um xingamento ou um gesto obsceno? Quando isso acontece, em vez de assumir a responsabilidade pelo que *você* fez ("Eu realmente deveria ter olhado pelo espelho retrovisor antes de mudar de pista"), você se irrita com a grosseria do outro motorista ("Que cara mais grosso!"). Quando alguém grita conosco, em geral, ficamos com tanta raiva que não conseguimos prestar atenção no significado do que está sendo dito. O mesmo acontece quando você grita ou berra com seus filhos.

Quando está ralhando com eles por causa de um mau comportamento, você quer que seus filhos se concentrem na mensagem e não na maneira como ela sendo transmitida. Depois, vai querer que pensem no que fizeram, nas razões para não tornarem a fazer, e não sobre o fato de você ter gritado com eles. Isso será difícil se você falou aos berros ou violentamente.

Não estou dizendo que você deva tratar um mau comportamento com indiferença, mas que pode transmitir uma mensagem forte e significativa ("Você não pode rabiscar as paredes com lápis") num tom de voz calmo, mas firme. Se você quiser, levante um pouco o tom de voz para dar mais ênfase, mas não exagere. A raiva, mesmo insignificante, causa um efeito duradouro.

Uma boa maneira de evitar uma descompostura ofensiva é se concentrar no comportamento da criança e não na criança em si. Há uma grande diferença entre dizer "O que você fez é insuportável" e "Não suporto você", ou entre "Você fez uma coisa terrível" e "Você é uma criança terrível". Em cada um desses exemplos, a primeira afirmativa faz a criança se sentir mal com o que fez, e a segunda a faz se sentir mal com o que é. Você quer o primeiro resultado e não o segundo.

Outra coisa importante é concentrar-se no comportamento em questão em vez de fazer generalizações. Em sua grande maioria, os pais tendem a generalizar em seus comentários desagradáveis ou insultuosos em relação à competência dos filhos ("Você não consegue fazer nada direito"), à personalidade ("Você sempre foi uma criança difícil"), ao caráter ("Você é mentirosa") ou ao potencial ("Você nunca vai ser alguém na vida"). Quando estiver reagindo a um mau comportamento, limite-se ao que acabou de acontecer ("Você agiu errado", "Não minta para mim", "Você está se prejudicando ao agir assim", "Se você se comportar dessa maneira, vai se envolver em confusões no futuro"). Você descobrirá que, quanto mais diretamente falar sobre um determinado problema, mais eficiente será e evitará conseqüências danosas.

Por fim, reflita sobre o que vai dizer antes de falar. Os pais são excessivamente severos quando agem impulsivamente e com raiva. Respire fundo antes de falar e escolha as palavras. Cuidado com o que vai dizer e com a maneira como vai fazê-lo.

Uma das coisas mais importantes a seu favor é o fato de seus filhos virem ao mundo com um desejo natural de lhe agradar. Quando você usa de violência verbal ou corporal para disciplinar uma criança, vai gradativamente abalando essa tendência, e aos oito ou nove anos você terá matado toda a sua individualidade. Isso não pode acontecer. Como mãe ou como pai, você ainda tem um longo caminho a percorrer na criação de seus filhos.

Controle a sua raiva

Jamais discipline uma criança quando estiver com raiva. Isso só aumenta a chance de você ser excessivamente cruel, tanto física quanto verbalmente.

Inevitavelmente haverá ocasiões em que seus filhos deixarão você com muita raiva. Nem preciso dizer quando, você sabe melhor do que eu. Em qualquer relacionamento próximo, seja entre parentes, casais, amigos ou pais e filhos, com certeza haverá conflitos, discussões e frustrações que deixarão uma ou ambas as pessoas zangadas. É perfeitamente normal irritar-se com os filhos de vez em quando. Isso não significa que você seja um monstro nem que não goste deles.

No entanto há uma grande diferença entre estar com raiva de alguém e descarregar essa raiva nessa pessoa. Tenho certeza de que você já se viu em inúmeras situações em que queria gritar, xingar ou esbofetear alguém – mas não o fez. Portanto, você sabe que consegue controlar a sua raiva quando precisa. Se não consegue, precisa aprender a fazê-lo. A raiva descontrolada faz mal a você e a quem é alvo dela. Controle-a quando estiver disciplinando seus filhos. Obrigue-se a isso.

Quando você sentir que está ficando com muita raiva por causa de alguma coisa que um de seus filhos fez, respire fundo três vezes e diga-lhe com um tom de voz firme, mas controlado, o que você está sentindo. Espere então até acalmar-se um pouco para tomar uma atitude em relação à situação. Explique o motivo da punição e, a seguir, aplique-a.

Se a criança tiver sete anos ou mais, você pode também dizer algo como "Estou com tanta raiva que não quero falar sobre isso agora, mas iremos discutir este assunto mais tarde".

Não deixe, no entanto, de *tomar* uma atitude depois de ter se acalmado (por exemplo, privar sua filha de algo que ela gosta, ou obrigar seu filho a fazer uma tarefa que ele detesta). Você quer que seus filhos associem a sua raiva por causa de um mau comportamento a uma conseqüência verdadeiramente desagradável. Mas essa conseqüência nunca deve ser uma palmada ou um xingamento. Como já expliquei, o castigo corporal e a linguagem ofensiva produzem efeitos colaterais danosos.

O intervalo de tempo entre a hora em que você fala para seus filhos da raiva que está sentindo e o momento em que você toma uma atitude punitiva deve durar apenas o tempo necessário para você se acalmar. Não o prolongue mais do que necessário. Lembre-se, você quer punir o mau comportamento de seus filhos o mais cedo possível, porque uma reação rápida é mais eficaz do que uma demorada.

Sei que provavelmente você já ouviu dizer que é importante que os filhos convivam bem com seus sentimentos, sejam eles positivos ou negativos. Eu concordo que as pessoas deveriam crescer sentindo que a raiva, assim como a felicidade e a tristeza, é um sentimento humano normal. E você pode se perguntar se controlar excessivamente sua manifestação de raiva não irá impedir o desenvolvimento emocional de seus filhos.

A resposta é não. Não existem evidências de que as crianças que freqüentemente são expostas a manifestações de raiva materna ou paterna sejam emocionalmente mais saudáveis do que as outras, porém são muitas as evidências que comprovam exatamente o oposto. As crianças cujos pais freqüentemente gritam com elas mostram-se mais propensas a se tornarem ansiosas e temerosas e a não conseguirem controlar a raiva nos seus relacionamentos com outras pessoas.

Embora seja ótimo que as crianças se sintam bem com seus sentimentos, é importante também que elas aprendam a manifestá-los de maneiras socialmente apropriadas. Bater, berrar e gritar raramente são modos eficazes de expressar a raiva ou a frustração. É fundamental ensinar a uma criança que ela pode sentir raiva e manifestar a sua cólera sem perder o próprio controle ou o controle da situação.

Se você se acostumou a disciplinar seus filhos na hora que está com raiva e agora quer seguir o meu conselho sobre refletir antes de agir, no início você se sentirá pouco natural. Mas depois de um certo tempo você incorporará esse comportamento e se sentirá muito bem.

Diminua a quantidade de gritos ou berros. O comportamento de seus filhos irá acompanhar a melhora do seu.

A maneira correta de punir

Agora que você já sabe o que faz uma punição ser eficaz – ser desagradável, consistente, rapidamente aplicada e sem crueldade ou agressão –, podemos conversar sobre como você deve proceder.

De modo geral, uma punição eficaz precisa incluir cinco elementos, na seguinte ordem:

- A *identificação* do erro cometido.
- A descrição do *impacto* causado pelo mau comportamento.
- A sugestão de uma ou mais *alternativas* para o comportamento impróprio.
- A declaração clara de qual será a *punição*.
- A declaração da sua *expectativa* de que seus filhos vão se comportar melhor da próxima vez.

Procure usar esses cinco elementos todas as vezes que punir seus filhos.

Você disse à sua filha de cinco anos para não choramingar quando não pudesse fazer o que quer. Agora ela está choramingando porque você lhe recusou um biscoito alegando que está quase na hora do jantar. Diga algo como: "Por favor, não choramingue quando você quiser alguma coisa (Identificação). Isso me deixa de mau humor (Impacto). Sei que você está com fome, mas, como está quase na hora do jantar, você pode comer uma cenoura ou um tomate (Alternativa). Vou botar você de castigo até parar de chorar (Punição). Sei que da próxima vez em que eu disser que não pode, você não irá choramingar (Expectativa)."

Por falar nisso, uma boa regra é de que o castigo dure cerca de um minuto para cada ano de idade da criança (ou seja, cinco minutos para uma criança de cinco anos). Quando você puser sua filha de castigo, mande-a ficar sentada em um cômodo em que não há nada para fazer. Ignore-a durante o castigo, mesmo que ela reclame. Se ela se levantar antes do tempo, mande-a voltar para onde estava sentada, diga-lhe que vai estender o período do castigo porque ela se levantou e acrescente 30 segundos ao tempo que ainda resta.

Você disse para seu filho de seis anos não brincar com canetas coloridas quando estivesse sentado no sofá da sala, mas você o vê fazendo exatamente isso. Diga-lhe algo como: "Eu pedi para você não usar canetas coloridas quando estivesse sentado nesse sofá (Identificação). Eu me aborreço muito quando essas canetas sujam o sofá (Impacto). Quando você quiser colorir, faça isso na mesa da cozinha (Alternativa). Por favor, me dê as canetas. Você está proibido de usá-las durante três dias (Punição). Sei que você provavelmente se esqueceu dessa vez, mas é importante que você se lembre da próxima vez (Expectativa)."

Sempre que for possível, relacione a punição à infração. O ato de tirar um brinquedo que a criança não usou adequadamente durante um período de tempo é uma boa maneira de enfatizar a regra.

Seu filho de nove anos sujou todo o chão da cozinha com lama, embora você tenha repetidamente lhe pedido para limpar os sapatos sujos antes de entrar em casa. "Já lhe disse muitas vezes que você precisa limpar seus sapatos para não sujar o chão da casa de lama (Identificação). Acabei de limpar o chão e agora vou precisar limpar de novo (Impacto). Há um capacho do lado de fora da porta. Se você não conseguir limpar seus sapatos no capacho, tire-os e deixe-os lá fora (Alternativa). Agora, pegue um pano e uma vassoura e vá limpar o chão (Punição). Você, em geral, é tão cuidadoso – por favor, tente se lembrar da próxima vez (Expectativa)."

Obrigar uma criança a reparar um dano cometido por ela é uma maneira eficaz de puni-la, desde que a tarefa seja bastante árdua para fazê-la se arrepender do que fez.

Sua filha de 13 anos lhe disse que passa as tardes na casa de uma amiga cuja mãe está presente, mas você descobre que a mãe passa as tardes fora. Você fica uma fera porque sua filha mentiu para você. Diga algo como: "Você me disse que a mãe da Suzana está sempre em casa. Você sabe perfeitamente bem que só pode ir para a casa de uma amiga se houver um adulto presente (Identificação). Quando eu não sei onde você está depois da escola, fico muito preocupada e não consigo me concentrar direito no trabalho (Impacto). Se depois da escola você quiser fazer alguma coisa que não foi programada, eu quero que me telefone para o trabalho pedindo permissão (Alternativa). Neste exato momento não estou em condições de discutir isso, mas depois quero conversar com você sobre o fato de ter mentido para mim. Por favor, vá para o seu quarto, eu já vou lá. (Após alguns minutos.) Decidi colocar você de castigo em casa durante uma semana, a partir de hoje. Isso significa que você virá direto da escola para casa e não sairá todas as noites e o fim de semana inteiro (Punição). Você mentiu para mim pouquíssimas vezes antes. Espero que, daqui por diante, você me conte a verdade (Expectativa)."

Lembre-se, jamais discipline seus filhos quando estiver com raiva. E, mais uma vez, sempre que possível relacione a punição à infração.

Todas as vezes que você precisar punir seus filhos, siga esse esquema geral: identifique a infração, descreva seu impacto, sugira uma alternativa, descreva a punição e diga que você espera um comportamento melhor da próxima vez.

Essa é a maneira correta de punir.

PRINCÍPIO 9

Explique suas regras e decisões

Exponha com clareza suas expectativas

Os bons pais esperam que seus filhos cumpram suas expectativas.

Para que os filhos cumpram as suas expectativas, elas precisam ser claras e apropriadas. Se não forem absolutamente explícitas, existe uma boa possibilidade de que seus filhos façam o que *acham* que você quer e com isso desapontem você. Esta é uma receita certa para conflitos. Por outro lado, se as suas expectativas não forem apropriadas, seus filhos estarão quase sempre tentando atingir metas inatingíveis. Esta é uma receita certa para desapontamentos e mágoas.

Às vezes as expectativas dos pais não estão claras porque foram subentendidas, em vez de serem claramente explicitadas. Você parte do princípio de que seus filhos sabem o que você espera deles. Você supõe que sua filha saiba que não deve deixar as toalhas molhadas em cima da cama. Você acredita que seu filho saiba que precisa lhe telefonar quando for chegar tarde para o jantar. Você imagina que ela saiba que precisa levar o cachorro para passear assim que chegar da escola e não depois de ter preparado e comido um lanche e jogado uma ou duas partidas de jogos no computador. Você supõe que ele saiba que deve lhe oferecer ajuda quando vir você varrendo a calçada ou preparando o jantar.

Além de não saberem ler mentes, seus filhos ainda são crianças. O que pode parecer óbvio para você, talvez não seja para um menino ou uma menina de 12 anos. Eles não têm as suas prioridades, o seu discernimento ou a sua experiência.

Não pense que pelo fato de uma coisa ser óbvia para você, ela também será para seus filhos. Diga claramente o que espera deles. Você vai surpreender-se ao constatar que para eles será uma novidade.

Às vezes as expectativas dos pais não ficam muito claras para os filhos porque eles as expressam de maneira muito vaga. Não basta você dizer à sua filha de 10 anos que espera que ela mantenha seu quarto arrumado, que se exercite no piano, que leia antes de ir dormir ou que ajude nas tarefas domésticas. Além do mais, ela pode achar que limpar o quarto significa apenas colocar os CDs de volta nas prateleiras. É preciso explicar que manter o quarto limpo significa guardar as roupas limpas no armário, colocar as sujas no cesto, arrumar a escrivaninha e passar o aspirador de pó uma vez por semana. Ela pode achar que 15 minutos de prática de piano são suficientes, enquanto você acha necessário três vezes mais. Ela acha que o simples ato de folhear o exemplar semanal de sua revista favorita significa ler antes de dormir, mas o que você realmente espera é que ela passe pelo menos uma hora lendo um bom livro.

Os filhos de todas as idades, mesmo os que estão na adolescência, precisam de uma orientação muito específica. Quando você lhes diz o que espera, procure deixar tudo bem claro. Se for preciso, elabore uma lista de instruções para eles seguirem. Especifique as expectativas: a hora em que sua adolescente deve estar de volta de um show ou o número de minutos que você espera que ela se dedique a seu instrumento musical. Isso evitará uma série de mal-entendidos.

Outro motivo para que suas expectativas não fiquem bem claras para seus filhos é elas não estarem bem claras para você. Se não tem muita certeza do que espera que seus filhos façam, como espera que eles saibam o que você quer?

Quando concordou em ter um cachorrinho em casa, você disse a seu filho de nove anos que esperava que ele ajudasse a tomar conta. Mas será que ele sabe exatamente o que você queria dizer com isso? Você espera que ele leve o cachorro para passear todos os dias ou uma vez por semana? Quem é que vai alimentar o cachorro? Quem vai dar banho ou limpar a sujeira?

Quando sua filha adolescente perguntou se podia ir passar as férias na fazenda de uma amiga, você disse que ela só poderia se tivesse bons resultados na escola. Mas o que significa para você "ter bons resultados"? Fazer o melhor que pode? Só tirar nota 10? Ser a primeira da sala? Passar de ano? Todas essas alternativas poderiam ser interpretadas como indicadoras de "bons resultados". Se você não sabe ao certo, seus filhos também não podem saber.

Antes de comunicar a seus filhos quais são as suas expectativas, assegure-se de que para você elas estão bem claras. Para que não haja dúvidas na cabeça de ninguém, discuta o assunto com sua esposa ou com seu marido.

É muito importante que as suas expectativas sejam claras, mas é importante também que sejam adequadas ao grau de maturidade de seus filhos. Para que possam ser atingidas, suas expectativas devem se encontrar dentro do nível de alcance deles. Se não estiverem, você irá apenas frustrá-los e frustrar-se.

Estabeleça tarefas que seus filhos possam perfeitamente realizar e que permitam que eles avancem além do que haviam anteriormente conseguido.

Suponhamos que você ache que sua filha já tem idade suficiente para ficar em casa sozinha durante um certo tempo, sem precisar de uma babá. (Não existe uma idade certa para isso. Vai depender muito da segurança do seu bairro, da existência de vizinhos próximos, da maturidade e temperamento da criança, etc.) Em vez de deixá-la sozinha pela primeira vez em uma noite de sábado, quando vocês forem ao cinema e depois jantar fora, procure começar deixando-a sozinha durante o dia, enquanto você estiver batendo um papo de meia hora na casa de um vizinho. Até mesmo a criança mais segura vai se sentir um pouco nervosa a primeira vez, mas ficar sozinha durante meia hora, no meio do dia, com você por perto, é muito menos angustiante do que ficar sozinha uma boa parte, da noite depois de já ter escurecido e você estar distante de casa uns 20 minutos. Muitas vezes uma criança que tem receio de ficar sozinha não demonstra o que está sentindo porque não quer parecer infantil. Por isso, apesar do que ela possa lhe dizer, vá aos poucos. Se ela lidar bem com o fato de ficar sozinha por pouco tempo, da próxima vez você poderá deixá-la sozinha por um período ligeiramente maior e, pouco a pouco, ir aumentando o tempo.

Usando a mesma linha de raciocínio, haverá ocasiões em que seus filhos não corresponderão às suas expectativas. Você achou que seu filho poderia lavar o carro sozinho, mas descobre que ele não fez um bom trabalho. Talvez você tenha superestimado seu grau de maturidade ou esperado que ele conseguisse fazer algo que, de fato, estava acima de sua capacidade. Se for assim, não o recrimine e não fique repetindo o que saiu errado. Em vez disso, concentre-se no que deu certo e ajude-o a compreender o que poderia ter feito melhor, ensinando e dando orientação antes da próxima oportunidade. Se você acha que a tarefa vai além de sua capacidade, diminua um pouco as expectativas.

Em outras palavras, crie expectativas que ajudem seus filhos a mostrar o seu grau de amadurecimento. Ajude-os a crescer.

Argumente com seus filhos

É sempre melhor explicar as razões que existem por trás de cada regra que você estabelece, porque os filhos se mostrarão mais propensos a acatá-las se concordarem que a regra é justa e necessária.

Mas talvez apenas uma explicação não seja suficiente para fazer seus filhos obedecerem a uma regra. Para muitos, basta uma explicação. Para outros, no entanto, além da explicação pode ser necessário puni-los por se recusarem a lhe obedecer ou premiá-los por acatarem suas ordens. De qualquer maneira, a explicação sobre as razões de suas regras e decisões é importante.

Mas cuidado com as explicações. Muitos pais acabam explicando coisas demais quando os filhos perguntam "Por quê?". Quando as explicações são excessivas, podem ficar inadequadas para o grau de maturidade dos filhos. Quando são insuficientes, não os convencem. Você não pode esperar que um adolescente aceite o tipo de lógica que satisfaria um pré-escolar.

Para decidir como melhor argumentar com crianças de idades diferentes, você precisa saber um pouco sobre o processo de desenvolvimento intelectual das crianças. Aqui está uma boa diretriz:

- Para crianças com menos de seis anos, a sua explicação precisa ser sensata.
- Para crianças entre seis e 11 anos, a sua explicação precisa ser sensata e lógica.
- Para crianças com mais de 11 anos, a sua explicação precisa ser sensata, lógica e coerente com as outras coisas que você disse ou fez.

Quando têm menos de seis anos, as crianças não questionam a base lógica das regras. Elas podem perguntar por que precisam acatá-las, mas o que realmente querem saber é se realmente precisam segui-las e não a lógica por trás delas. Para as crianças dessa idade, desde que pareça sensata e honesta, praticamente qualquer explicação servirá. Não me agrada ver pais mentirem para seus filhos, mesmo que as mentiras sejam inofensivas. Esse tipo de atitude lhes ensina que é aceitável mentir quando necessário.

Seu filho de cinco anos quer saber por que precisa recolher seus brinquedos. Diga-lhe que é porque alguém pode tropeçar neles e cair, porque você precisa passar o aspirador de pó no chão, porque você não quer perder nenhum deles, ou diga que você precisa de ajuda, que tem medo de que o cachorro os danifique ou de que não gosta de ver a casa desarrumada. Como eu já disse, basta qualquer explicação sensata. Evite responder "Porque eu estou mandando", mesmo para crianças muito pequenas.

Na verdade, não há motivo para tentar ajudar uma criança com menos de seis anos a compreender o "princípio por trás" de cada uma das suas regras, porque ela ainda não desenvolveu a capacidade intelectual necessária para compreender qualquer raciocínio lógico. Ao argumentar com uma criança dessa idade, dê explicações simples e exemplos concretos.

Por exemplo, se você quer que sua filha de quatro anos coma cenouras e ela lhe pergunta "Por quê?", não inicie uma explicação sobre a importância de uma dieta balanceada. Diga-lhe simplesmente que as cenouras fazem bem à saúde. Não desperdice seu tempo com explicações científicas elaboradas quando uma resposta simples e direta for suficiente. Guarde o discurso sobre a importância das vitaminas para uma criança mais velha.

Embora entre os seis e os 11 anos as crianças desenvolvam a capacidade de usar a lógica, ainda têm dificuldade para compreender abstrações. Para elas, além de racionais e sensatas, as regras devem ser específicas. Estes são alguns exemplos de explicações que funcionam bem nesta fase: "Na nossa família não dizemos palavrões porque eles demonstram falta de educação", "Todos precisam colaborar e executar algumas tarefas domésticas porque não consigo fazer tudo sozinha" ou "Fazer o seu dever de casa é mais importante do que assistir à televisão".

Você pode esperar que uma criança dessa idade compreenda o raciocínio por trás das regras, mas não espere que ela aplique esses mesmos princípios gerais a situações novas. Por exemplo, quando explicar a seu filho de nove anos que você não quer que ele jogue roupas úmidas debaixo da cama porque o mofo cresce num ambiente escuro e úmido, ele compreenderá a explicação e, com alguns lembretes, provavelmente seguirá a recomendação. Porém, a mesma criança, com toda a probabilidade, colocará toalhas molhadas no cesto de roupas sujas, apesar de isso representar uma violação do mesmo princípio. Embora seu raciocínio esteja muito mais sofisticado do que quando ele era menor, em relação a algumas coisas seu filho ainda continua muito concreto.

De maneira mais prática, isso significa que quando você for disciplinar uma criança que esteja entre os seis e os 11 anos você precisará explicar a lógica específica por trás de cada regra. Se sua filha de seis anos lhe perguntar o porquê da necessidade do cinto de segurança, diga: "Porque ele impede que você seja jogada no banco da frente se alguém bater no nosso carro ou se eu precisar frear de repente." (Uma criança de quatro anos ficará satisfeita com a explicação de que o cinto impede que ela se machuque.) Se seu filho de nove anos lhe perguntar por que ele precisa arrumar o quarto, você poderia dizer: "Porque não é possível passar o aspirador com as roupas espalhadas pelo chão e não é bom para a sua saúde deixar toda aquela poeira e sujeira se acumularem." (Com uma criança menor, a primeira metade da explicação já bastaria, mas agora que ele já tem nove anos a sua lógica precisa ser mais detalhada.) Se sua filha de 11 anos pergunta por que tem que ir para a cama às 10 horas, você poderia dizer: "Porque é a única maneira de você dormir o número de horas de que precisa. Se estiver cansada de manhã, não vai conseguir se concentrar na aula." (Mais uma vez, se a criança fosse menor, bastaria a primeira parte da explicação.)

Uma criança de 12 ou mais anos terá a mesma, ou quase a mesma, capacidade de raciocinar que você tem. Nessa idade, os filhos se tornam questionadores porque estão procurando falhas, lacunas ou inconsistências no raciocínio das outras pessoas, inclusive no de seus pais. Para que uma explicação seja bem aceita, além de racional e sensata, as razões que a embasam precisam condizer com as de outras regras que você estabeleceu e com as outras coisas que você disse ou fez. Caso contrário, seus filhos questionarão.

Se sua filha de 14 anos quer saber por que não pode usar uma blusa justa e decotada na escola, você poderia dizer: "Não é apropriado usar roupas sensuais na escola porque lá é um lugar onde as pessoas deveriam se concentrar nas aulas e não nos corpos de seus colegas. Quando usa esse tipo de roupa, você passa para seus professores a impressão de que está mais interessada nos meninos do que nas aulas." No entanto, se você, mãe, usa roupas sensuais para ir trabalhar, a sua explicação não será convincente. Se seu filho de 18 anos quer saber por que não pode ter seu próprio carro, você poderia dizer: "Além do custo do carro em si, a compra de um carro novo envolve outras despesas, como as do seguro e da manutenção. Estamos tentando economizar dinheiro para a sua faculdade e precisamos cortar todas as despesas desnecessárias." É óbvio que se você estiver gastando dinheiro em outras coisas supérfluas, seu adolescente será o primeiro a lhe apontar essa contradição, e é por isso que sua explicação precisar ser coerente com as suas outras atitudes.

Para poder argumentar adequadamente com seus filhos, você precisa compreender bastante bem a maneira de pensar de uma criança em suas várias fases. As crianças muito pequenas vêem o mundo em termos absolutos; para elas, uma coisa está certa porque uma pessoa com autoridade disse assim. As crianças que estão no início do ensino fundamental são guiadas pela lógica; para elas, uma regra está correta porque faz sentido. Os adolescentes reagem bem a regras fundamentadas em princípios claros e consistentes; para eles, uma regra está correta porque serve a algum propósito mais elevado.

Se você mantiver em mente esse tipo de raciocínio e adaptar a sua argumentação ao estágio de desenvolvimento de seus filhos, suas explicações serão muito mais eficientes.

"Porque eu disse"

Em sua grande maioria, os pais prometem a si mesmos que jamais usarão como argumento "Porque eu disse" para dar uma ordem a seus filhos, mas em algum momento quase todos quebram esta promessa. É muito cansativo fornecer uma justificativa a seus filhos todas as vezes que lhes pedir para fazerem alguma coisa. Ainda assim resista a afirmar "Porque eu disse", por maior que seja a tentação.

"Porque eu disse" dá a entender que você não tem um bom argumento para o seu pedido. Talvez você ache que os pais não precisam ter motivos para o que exigem de seus filhos, mas, a partir do momento em que a criança começa a fazer perguntas sobre o mundo que a rodeia, você deveria tentar responder essas perguntas da melhor maneira possível. "Porque eu disse", além de não conter nenhuma informação, não irá satisfazer a curiosidade e o interesse de uma criança depois dos quatro ou cinco anos.

Na minha opinião, o principal motivo para evitar o uso de "Porque eu disse" para obrigar seus filhos a lhe obedecerem é porque você quer que eles se acostumem a pedir justificativas para exigências de outras pessoas quando estiverem em dúvida ou insatisfeitos. Quando você fala "Porque eu disse", na verdade está afirmando "Porque meu poder é maior do que o seu e eu posso obrigar você a fazer isso". Mas quando um amiguinho mais forte mandar seu filho pular de um brinquedo muito alto, ele deverá concordar só porque o amigo tem mais poder? Quando um professor erroneamente der à sua filha de 12 anos uma nota mais baixa do que ela merece, ela deve aceitá-la só porque o professor é uma figura de autoridade? Quando um estranho de bom aspecto pedir que sua filha o acompanhe, ela deve obedecer sem questionar?

Quando seus filhos pedirem uma justificativa para uma ordem que você lhes deu, forneça uma razão que faça sentido e a expresse em uma linguagem adequada à idade deles. Na hora, dá mais trabalho fazer isso do que simplesmente responder "Porque eu disse", mas a longo prazo eles provavelmente se mostrarão mais inclinados a acatar seus pedidos se compreenderem o motivo. Se você lhes dá uma explicação sensata para uma ordem hoje ("Refrigerantes fazem mal aos dentes, não é bom tomá-los sempre"), eles provavelmente não irão questionar o mesmo assunto amanhã, já que a resposta vai ser a mesma. No entanto, quando você usa o "Porque eu disse", seus filhos podem achar que a resposta é um mero reflexo do seu estado de espírito e perguntarão a cada nova situação, esperando que você não esteja mais de mau humor.

Quando você não consegue imaginar uma resposta sensata para dar a seus filhos, talvez a sua ordem, ou o seu pedido, seja algo para satisfazer apenas seus interesses. Isso também é aceitável. Apenas diga algo como "Porque vou ficar mais feliz" ou "Porque vai me facilitar as coisas". Diga a verdade.

No entanto, se o único motivo para a sua ordem é mostrar que quem manda é você, essa ordem não é boa. A sua autoridade sobre seus filhos deveria ser fundamentada na sua experiência, no seu conhecimento e no seu discernimento, e não no poder que você tem sobre eles. Seus filhos deveriam respeitar você porque sentem que você os respeita e se importa com a felicidade deles.

Obrigar os filhos a obedecer as suas ordens e não fornecer uma justificava para elas é incentivar a dependência, a submissão e a obediência às pressões dos outros. Se você não quiser que seus filhos se acostumem a fazer coisas só porque alguém mandou, pare de falar "Porque eu disse".

Ouça a opinião de seus filhos

Você não é a única pessoa a ter opiniões sobre as regras que estruturam a vida de seus filhos. Eles também têm opiniões. Vale a pena descobrir o que eles pensam a respeito de um determinado assunto.

Às vezes a opinião de seus filhos é razoável, sensata e lógica. Muitas vezes não é. Mas você jamais saberá se não perguntar.

Sobretudo é importante transmitir a seus filhos a mensagem de que você preza seu ponto de vista e se dispõe a examinar suas razões quando lhe pede uma opinião. Além de facilitar o seu trabalho, esse tipo de atitude ajuda os filhos a desenvolver sua capacidade intelectual por algumas razões.

Primeiro, ao pedirmos sinceramente a opinião de alguém, queremos saber se compartilhamos o mesmo ponto de vista ou, se não for este o caso, se deveríamos modificar a nossa maneira de pensar. Quando pede a opinião de seus filhos, você lhes mostra que é capaz de se abrir para idéias diferentes e que é uma pessoa razoável. Lembre-se, seus filhos se mostrarão mais propensos a acatar suas regras se acharem que elas fazem sentido.

Segundo, ao pedir a opinião de seus filhos, você os traz para o processo decisório. De modo geral, isso é bom e muito importante nas situações em que há discordância. Estas são experiências que todos nós já vivemos: um pedido de revisão de multa que foi negado, um professor que não se deixou convencer em modificar a nota dada em um trabalho, um vendedor que não aceitou de volta uma mercadoria com defeito. Em todos esses casos, o pior foi sentir que o nosso ponto de vista não foi sequer considerado. Em geral, ficamos frustrados quando achamos que não tivemos a oportunidade de explicar a nossa maneira de pensar. É muito mais fácil aceitar um veredicto desfavorável quando temos a sensação de que expusemos ao máximo nossos motivos. Nossos filhos sentem o mesmo. Quando você e seus filhos discordarem sobre alguma coisa, ouça com respeito e atenção seus argumentos. Eles não se sentirão tão infelizes, mesmo que a sua decisão final não seja a desejada.

Terceiro, o ato de ouvir o que seus filhos têm a dizer ajudará você a compreender a maneira como eles vêem a vida, e isso facilitará o seu trabalho. Deixe-me dar um exemplo.

Uma manhã, sua filha aparece para tomar café totalmente maquiada – uma maquiagem que você considera muito inapropriada para a escola. Sem lhe dar oportunidade de dizer alguma coisa, você imediatamente a manda voltar para o quarto e remover a maquiagem. Embora ela comece a dizer "Mas...", você a corta e diz que o assunto não está aberto a discussões. Ela se retira aos prantos e minutos depois você a ouve bater a porta do banheiro. Não era isso o que você queria.

Suponhamos que, ao contrário, você a tivesse deixado acabar a frase e descoberto que ela está assim porque todas as suas amigas vão maquiadas para a escola e caçoam dela por não ir. Visto desse ângulo, seu desejo parece ser mais razoável: ela está tentando se encaixar no grupo, o que é um comportamento normal para uma menina de 12 anos. Você percebe que o ponto específico não é o tipo de maquiagem que ela está usando, mas o fato de poder, ou não, ir maquiada para a escola. Você poderia até insistir para que ela removesse o excesso de maquiagem, mas, se tivesse lhe dado a oportunidade de explicar, não teria reagido de maneira tão enfática e intransigente quando ela apareceu. Talvez tivesse havido uma negociação e ela removesse o excesso de maquiagem. Sobretudo se sentiria mais acolhida e respeitada.

Em geral, é possível aprender muito ouvindo o que uma criança tem a dizer sobre um determinado assunto. Deixe seus filhos manifestarem seu ponto de vista. O ato de lhes pedir uma opinião quando eles não a derem espontaneamente fará você parecer uma mãe ou um pai mais interessado. Como eu já disse, para ser uma boa mãe ou um bom pai é preciso conseguir penetrar na mente de uma criança da idade de seus filhos, e um bom modo de conseguir isso é descobrir o que eles pensam e sentem a respeito das regras que você estabelece.

As discussões sobre suas regras e expectativas não apenas permitem que você compreenda o modo de pensar de seus filhos como também *os* ajuda a compreender o *seu* modo de pensar. Se eles têm uma boa idéia do que é importante para você, não será preciso dar tantas ordens. Se, por exemplo, eles sabem que uma das razões pelas quais você pede para eles lavarem os pratos depois do jantar é porque você acha importante que os membros da família dividam as tarefas domésticas, eles se mostrarão mais propensos a ajudar.

Por fim, as discussões sobre as regras representam muito mais do que o debate sobre um ponto específico. Elas constituem oportunidades para que seus filhos aprimorem suas habilidades de formular e apresentar argumentos convincentes e para manifestar seu ponto de vista a alguém mais inteligente e mais forte. No futuro, eles passarão por muitas situações semelhantes, e por isso é bom que pratiquem com os pais.

Acho que é uma excelente idéia os pais solicitarem de vez em quando a opinião de seus filhos sobre regras, rotinas e expectativas, e se mostrarem dispostos a ouvi-los quando eles questionarem uma delas. Não estou sugerindo que você se explique ou peça a seus filhos para fazerem comentários todas as vezes – isso será cansativo para ambos, sobretudo se você estiver fazendo isso apenas para fingir que é uma mãe ou um pai liberal, pois mais cedo ou mais tarde seus filhos perceberão. Mas, se o ponto em discussão é o motivo do aborrecimento (você se recusou a aumentar a mesada de sua filha de 13 anos; ela lhe diz que a mesada dela é muito menor do que a de suas amigas) ou um ponto sobre o qual você não tem muita segurança (seu filho de 16 anos diz que gostaria de começar a trabalhar meio expediente durante o ano letivo), peça a opinião deles.

O fato de seus filhos terem opiniões diferentes sobre assuntos que lhe pareciam indiscutíveis pode ser muito irritante, mas este é um preço pequeno a pagar para ter filhos que não se envergonharão ou se intimidarão em manifestar sua opinião quando julgarem que estão sendo injustiçados. Lembre-se, as lições que seus filhos aprendem no relacionamento com você vão definir a maneira como se comportarão com as outras pessoas. Quando os filhos se calam em casa, dificilmente dirão o que pensam quando estiverem com outras pessoas.

Admita que errou

Não faz nenhum sentido você agarrar-se ao cumprimento de regras cuja lógica seus filhos possam facilmente questionar. Manter-se firme sem nenhuma boa razão não irá fortalecer a sua autoridade de mãe ou de pai – apenas a enfraquecerá.

Jamais consegui entender pais que não admitem o fato de estarem errados para os filhos. Reconhecer os próprios erros ou um mau julgamento é sinal de segurança e maturidade – uma capacidade que você quer incentivar em seus filhos. Se como mãe ou como pai você cisma em teimar, seus filhos provavelmente repetirão seu comportamento. Insisto mais uma vez, e nunca será demais: *os filhos aprendem muito mais observando os pais do que ouvindo o que eles dizem.*

Muitos pais relutam em admitir para seus filhos que erraram porque acham que os filhos passariam a pensar que os pais estão errados a respeito de *tudo*. Em parte, isso é verdade, porque, a partir do momento em que eles descobrirem que você está errado a respeito de algo, eles se darão conta de que mesmo as mães ou os pais podem cometer erros. Isso talvez os leve a questionar ainda mais os seus pontos de vista. Mas questionar o seu julgamento não significa rejeitá-lo. Além disso, é inevitável que, ao crescer e desenvolver-se, os filhos descubram, mais cedo ou mais tarde, que os pais não são perfeitos. Na realidade, no início da adolescência, eles poderão passar por um estágio em que acharão que os pais estão *sempre* errados, da mesma forma como achavam, na fase pré-escolar, que os pais eram infalíveis. Como um dia eles acabarão sabendo que os pais – assim como todos os seres humanos – não são perfeitos, é melhor que os vejam como imperfeitos e sinceros – admitindo seus erros – do que imperfeitos e mentirosos.

É ótimo quando os pais tomam a iniciativa e admitem que erraram, em vez de esperarem que seus filhos lhes apontem o erro. Se você mudar de opinião a respeito da melhor amiga de sua filha depois de tê-la conhecido um pouco melhor, diga-lhe que você chegou à conclusão de que julgou mal a amiga. Se você descobrir que um show de televisão vetado em sua casa na verdade não é inapropriado, diga a seus filhos que você se enganou. Se perceber que injustamente acusou seu filho de alguma coisa que ele não fez, peça desculpas assim que puder. Se já tiver punido seu filho com severidade, diga-lhe que cometeu um erro, peça desculpas e volte atrás.

Mas, atenção: admitir que você cometeu um erro que atingiu diretamente seus filhos é uma coisa; contar-lhes sobre outros erros que você cometeu no passado (no seu casamento, no trabalho, quando era mais jovem) é algo completamente diferente. Os pais compreensivelmente se perguntam como lidar com os erros que cometeram no passado e que os filhos desconhecem. Infelizmente, não existe uma resposta fácil ou automática para isso; ela vai depender realmente da natureza do erro, da idade dos filhos e do grau de intimidade no relacionamento entre vocês.

Se o que você fez estiver em desacordo com o que você está tentando ensinar a seus filhos (você fumou quando tinha 11 anos e sempre disse à sua filha de 11 anos que é errado fumar), ela achará difícil conciliar as duas coisas até ter 12 ou 13 anos, e pode até achar que a sua posição atual é hipócrita. Quando chegar à adolescência, ela já terá desenvolvido capacidade suficiente para compreender que talvez não seja ilógico você, hoje em dia, se opor a algo que fez quando era mais jovem. Mesmo assim, ela poderá acusar você de hipocrisia. Neste caso, diga-lhe que mudou de opinião depois de ter filhos. É bom admitir que você cometeu erros quando tinha a idade dela.

De modo geral, eu não acredito que haja uma boa razão para você espontaneamente revelar erros do seu passado, mas é preciso admiti-los se os filhos lhe fizerem uma pergunta direta. Mesmo assim, na hora de responder, use o seu discernimento. Quanto menor for a criança e mais séria tiver sido a sua transgressão, maior será a importância de evitar responder à pergunta. Por outro lado, um adolescente que acabou de assistir a um documentário sobre os anos 1960 conseguirá avaliar o seu comportamento no contexto da época, e por isso você poderia responder: "Sim, foi uma época em que as pessoas fizeram um monte de coisas bem idiotas sem se darem conta", "Sim, mas eu parei assim que me formei na faculdade". Lembre-se: se seus filhos forem pequenos, é aceitável lhes dizer que este é um assunto que você preferiria discutir quando eles estivessem mais velhos.

Embora eu ache que os pais não devam mentir para seus filhos, há uma grande diferença entre revelar detalhes chocantes de seu passado e permitir que seus filhos adolescentes saibam que você não levou uma vida exemplar. Suponho que o melhor critério seja avaliar se os filhos poderão se beneficiar do que você lhes contar. Confessar uma história do seu passado com o objetivo de lhes ensinar uma lição (contar, por exemplo, que foi reprovado em química porque foi pego colando na prova final) pode ser útil, mas vangloriar-se de ter cometido atos ilegais ou amorais cujas conseqüências você conseguiu evitar certamente não é. Queira ou não, você é um modelo de comportamento para seus filhos. Quando sua filha lhe perguntar se você teve relações sexuais com alguém antes de se casar, se você as teve, dizer que você não casou virgem é muito diferente de dizer que você não consegue se lembrar com quantos colegas de classe transou. E dizer que a vida sexual de alguém é um assunto particular também é uma resposta perfeitamente aceitável. Quando seus filhos lhe perguntarem se você usou drogas ilegais quando era mais jovem, se realmente você usou, dizer que as experimentou e decidiu que não serviam para você é melhor do que relatar histórias escabrosas sobre suas experiências com drogas.

Alguns pais erroneamente acreditam que é importante que os filhos os vejam como infalíveis. É verdade que as crianças muito pequenas – com menos de seis anos – tendem a acreditar que seus pais não cometem erros, mas isso não significa que queiramos que elas continuem acreditando nisso ao ficarem mais velhas. As crianças pequenas acreditam em muitas coisas inverídicas – Papai Noel, na fadinha que substitui o dente de leite por uma moeda –, mas, à medida que vão crescendo e se tornando mais espertas, deixam de acreditar nessas coisas. Assim como a crença no Papai Noel, a necessidade de ver você como infalível irá desaparecendo naturalmente à medida que crescerem. O fato de querer saborear essa visão idealizada que seus filhos têm de você enquanto são pequenos é perfeitamente aceitável, mas, por favor, permita que eles amadureçam.

Admitir o erro é uma atitude digna e nobre.

PRINCÍPIO 10

Trate seus filhos com respeito

Respeite e mereça respeito

Muitos pais se preocupam muito mais em serem respeitados por seus filhos do que tratá-los com respeito. Talvez você reaja ao ler isso, mas tenha paciência e deixe-me dizer o que penso.

As crianças vêm ao mundo predispostas a idealizar seus pais e a quererem ser iguais a eles. Quando ficam mais velhas e percebem os defeitos dos pais, essa visão perde um pouco o esplendor. Isso é natural, compreensível e, em muitos aspectos, desejável. Afinal, você quer que seus filhos tenham uma visão realista do mundo e isso necessariamente inclui uma visão realista de você. Se os pais tratam seus filhos com delicadeza e justiça, se demonstram preocupar-se genuinamente com seu bem-estar e são um modelo bastante positivo, os filhos os respeitarão, ainda que passem a ver os pais com mais nitidez e clareza, que discordem deles ou que de vez em quando os contrariem.

Mesmo nas ocasiões em que se mostrarem rebeldes, contestadores e do contra, seus filhos provavelmente não estarão agindo para lhe faltar ao respeito. Com toda a probabilidade, agem dessa maneira porque estão atravessando uma fase crítica, como o início da adolescência, quando o ato de contestar e contradizer os pais é uma forma normal de afirmar a sua individualidade. É bom insistir para que eles se expressem de maneira respeitosa quando discordarem, mas tentar forçá-los a concordar com você ou a ficarem calados em "sinal de respeito" é falso e apenas prolongará a disputa. O respeito não é medido pela concordância, mas pela forma como duas pessoas se expressam quando uma discorda da outra.

Acho que é importante dar aos filhos o benefício da dúvida em vez de automaticamente assumir que eles estão se comportando mal ou discutindo para serem desrespeitosos ou aborrecer os pais. A não ser que a evidência seja muito forte, você deverá partir do princípio de que seus filhos respeitam você e procurar entender as razões de seu comportamento quando estiverem sendo inconvenientes, desobedientes, decepcionantes ou do contra. É sempre possível encontrar uma outra explicação mais plausível do que a simples falta de respeito para um mau comportamento, uma birra ou um antagonismo. Se levar em consideração a fase específica de desenvolvimento de seus filhos, você conseguirá descobrir qual é esse motivo.

Não estou dizendo que você deva aceitar um mau comportamento – você não deve. Um comportamento que pareça falta de respeito quase nunca é intencional. Neste caso, a primeira pergunta que você deveria se fazer não é "Por que minha filha ou meu filho não me respeita?" ou "Como posso obrigar minha filha ou meu filho a me respeitar?", mas "Por que será que minha filha ou meu filho fez isso?". *Esta* pergunta levará a uma solução satisfatória do problema, qualquer que seja ele.

Por isso, vamos pensar que provavelmente seus filhos respeitam você e passemos a outra pergunta.

Você trata seus filhos com respeito?

Tratar seus filhos com respeito não significa tratá-los como iguais na hora de tomar decisões ou transformar seu relacionamento com eles numa camaradagem. Nenhuma dessas alternativas é boa.

Há uma grande diferença entre tratar seus filhos com respeito e transformá-los em amiguinhos. Sempre fico um pouco preocupado quando ouço um pai ou uma mãe dizer: "Sou o melhor amigo ou a melhor amiga dos meus filhos." Se a mãe ou o pai e os filhos são muito chegados, possuem os mesmos interesses e gostam de estar juntos, tudo bem. Mas o melhor amigo de seus filhos deveria ser alguém da idade deles, porque é muito bom que as crianças e os adolescentes tenham pelo menos um amigo com quem possam discutir experiências que estão vivenciando. Uma coisa é a filha contar à mãe que está apaixonada por um colega de classe. Compartilhar esta experiência com alguém da mesma idade e que está na mesma situação é completamente diferente.

Um outro motivo para você e seus filhos não serem os melhores amigos – pelo menos até que eles se tornem adultos – é que os pais às vezes precisam impor a sua autoridade de uma maneira que não pode ser feita se tratam os filhos como iguais. Para os filhos, é muito confusa a situação quando o pai é seu melhor amigo um dia e um rígido impositor de regras no outro. Seguindo a mesma linha de raciocínio, é muito difícil impor-se como mãe ou como pai a uma pessoa que você acabou de tratar como confidente. É bom que seus filhos compreendam que você é apenas um ser humano, mas tome cuidado: para os filhos é perturbador e sufocante sentir que os pais dependem deles emocionalmente. Você quer que a vida de seus filhos seja a mais despreocupada possível; portanto, não os sobrecarregue com seus problemas.

Quando afirmo que você deve tratar seus filhos com respeito, quero dizer que você deve conceder-lhes as mesmas cortesias que concede a qualquer um. Fale com educação. Respeite a sua opinião. Preste atenção quando eles estiverem falando com você. Trate-os com delicadeza. Procure agradá-los quando for possível. Não se preocupe – você pode fazer todas essas coisas e ainda assim manter sua autoridade. Você pode ser amigável sem ser a melhor amiga ou o melhor amigo de seus filhos.

E também existem aqueles pais que acham impensável serem amigos dos filhos. Eles fazem questão de exercer a sua autoridade o tempo todo. Mandam os filhos calar a boca. Dizem coisas que os humilham ou os embaraçam na frente dos outros. Eles os repreendem mesmo depois de os filhos terem pedido desculpas por algo errado. Não prestam atenção e nem mesmo fingem interesse quando eles estão falando. Interrompem os filhos. Na presença deles, falam com outras pessoas como se eles não existissem.

Não sei exatamente o que se passa na cabeça de uma mãe ou de um pai que desrespeita seus próprios filhos. Acho que, para alguns pais, tratar seus filhos com indelicadeza ou grosseria é uma forma de demonstrar quem manda no relacionamento. Acham que, ao tratar alguém com respeito, pode não ficar claro quem está no comando da situação.

Discordo dessa visão em relação a qualquer pessoa, mas no que diz respeito aos filhos ela não faz o menor sentido. Quem costuma tratar seus filhos desrespeitosamente para deixar claro quem está no comando deveria tentar descobrir por que precisa dessa atitude perversa para garantir sua autoridade.

Estou certo de que você já teve a oportunidade de observar muitas pessoas que tratam as que estão em posição inferior (empregados, prestadores de serviços, garçons, vendedores, etc.) com respeito, enquanto outras tratam essas mesmas pessoas com indelicadeza e arrogância. Como você provavelmente já constatou, as pessoas que normalmente tratam mal as que têm menos poder não conquistam o respeito delas e ficam com uma imagem negativa aos olhos dos outros. Como regra geral, devemos tratar qualquer pessoa com respeito. Mas há também um fator pragmático para o tratamento respeitoso. Sabemos que se nossa meta é conseguir que alguém apresente um desempenho melhor, trabalhe com mais afinco ou preste serviços de maior qualidade, a conduta mais eficaz é tratar essa pessoa com respeito e não fazê-la sentir-se inferior.

Os mesmos princípios básicos se aplicam aos relacionamentos entre pais e filhos. Tratar seus filhos com respeito é a atitude correta e a mais inteligente. Possivelmente, seus filhos se mostrarão mais dispostos a cooperar se você os tratar com delicadeza.

Concluindo: para conseguir que seus filhos tratem você com respeito, a melhor atitude é tratá-los com respeito.

Dialogue

Quando os pesquisadores pedem às crianças e aos adolescentes para citar o que gostariam que fosse diferente em suas vidas familiares, uma das respostas mais comuns é que eles gostariam que seus pais passassem mais tempo conversando com eles.

Acho engraçado verificar como os pais se surpreendem quando ficam sabendo que os filhos gostariam que eles conversassem *mais* com eles, e não menos.

Em sua grande maioria, os pais acham que já passam bastante tempo conversando com os filhos e que o problema é que estes não lhes respondem ou não ouvem o que dizem. Eles muitas vezes reclamam dizendo que procuram iniciar uma conversa, e os filhos respondem com monossílabos: "Como foi a escola?" "Bem." "O que é que você fez hoje à tarde?" "Nada." "Onde é que você vai?" "Sair." Por isso os pais acham que falam bastante com os filhos.

O motivo de pais e filhos terem pontos de vista tão distintos sobre a comunicação é que os pais não percebem a diferença entre *falar* com os filhos e *conversar* com eles. O que os pais consideram uma conversa, os filhos freqüentemente acham que é um discurso, um sermão ou um interrogatório.

Se perguntássemos aos filhos se eles gostariam que seus pais lhes fizessem mais discursos ou que os questionassem com mais freqüência, eles obviamente responderiam que não. Mas, se perguntássemos se gostariam que os pais conversassem com eles de uma maneira que demonstrasse estarem de fato prestando atenção, se interessando por aquilo que eles querem dizer e dispostos a dialogar, ouviríamos um sonoro sim.

Você fala com seus filhos ou conversa com eles?

Para os pais, é fácil adquirir o hábito de ter com os filhos aquele tipo de conversa de mão única, em que eles falam com o filho, mas o filho não fala com eles. Como mãe ou como pai, uma parte da sua função é monitorar seus filhos, lhes ensinar a fazer coisas e lhes transmitir suas teorias sobre o que é importante na vida. Para isso será necessário fazer perguntas (para monitorar seus filhos você terá de perguntar quem, o que e onde), ensinar e fazer alguns sermões (para ajudar seus filhos a adquirir os valores certos, você precisará subir ao púlpito de vez em quando).

No entanto há uma grande diferença entre *ocasionalmente* falar para monitorar, instruir ou ensinar sobre a vida e usar *sempre* esse tipo de comunicação. Imagine-se em um relacionamento com alguém que está permanentemente monitorando você, lhe ensinando alguma coisa ou tentando melhorar o seu comportamento. Mesmo que as intenções dessa pessoa sejam boas, depois de algum tempo esse tipo de relacionamento enlouquecerá você. Além de ser maçante e cansativo, o fato de alguém que é (ou que age como) mais poderoso, mais sábio ou mais experiente nos tratar dessa maneira faz com que nos sintamos pequenos e insignificantes.

É assim que seus filhos se sentem quando, em vez de conversar *com* eles, você fala *para* eles.

Todos queremos que os outros gostem de nós, nos ajudem e nos inspirem. Mas, quando conversamos, desejamos outras coisas também. Queremos ter a oportunidade de sermos ouvidos. Queremos que nossos pontos de vista sejam discutidos e não apenas corrigidos. Queremos ter a oportunidade de ensinar, de aprender e de trocar informações que não requeiram uma resposta certa ou errada.

Quando você e seus filhos estiverem conversando, procure

dialogar. Não importa a idade da criança. Basta que tenha três anos para poder participar de um diálogo.

Vou lhe ensinar algumas técnicas de comunicação relativamente fáceis para ajudar no diálogo com seus filhos.

Antes de mais nada, é preciso aceitar que, embora seja a figura de autoridade no relacionamento, você nem sempre precisa ter o monopólio da verdade. Pedir a seus filhos para lhe ensinarem alguma coisa não diminuirá a sua importância. Se demonstrar uma real disposição para aprender com as informações ou o ponto de vista deles, você lhes estará dando uma lição preciosa, e o respeito que sentem só aumentará, porque se sentirão respeitados e valorizados pelo seu interesse.

Essa atitude de abertura é fundamental. A partir dela, você poderá começar a empregar as ferramentas que os especialistas descobriram ser eficazes para o aprimoramento do diálogo entre pais e filhos.

Primeiro e principalmente, *preste atenção*. Enfatizo ao máximo esta recomendação. Você não pode participar de um diálogo se só se concentra quando está falando. Preste atenção naquilo que seus filhos estão dizendo. Ponha o jornal de lado, olhe nos olhos do filho ou da filha, incline-se para a frente. Deixe seus filhos sentirem que o que diz é importante e interessante simplesmente por serem assuntos importantes para eles.

Segundo, *peça efetivamente a opinião de seus filhos.* E tenha um *verdadeiro* interesse por ela. Se você acabou de descrever duas alternativas para as férias, peça a opinião deles. Se viu no noticiário alguma coisa extraordinária, conte para eles e peça-lhes a opinião. Se aconteceu alguma coisa no seu trabalho e você acha que vale a pena contá-la para seus filhos, pergunte-lhes o que acham, o que teriam feito, etc.

Terceiro, *faça perguntas que exijam respostas detalhadas em vez de respostas monossilábicas.* Não se pode manter um diálogo com uma pessoa se não há nada a conversar. Em vez de perguntar à sua filha se ela gostou do livro que acabou de ler (com toda a certeza, ela lhe responderá com um sim ou um não), pergunte-lhe do *que* ela gostou (ou não gostou) no livro. Perguntas específicas ("O que foi que o professor disse sobre o seu projeto de ciências?") funcionam melhor do que perguntas abrangentes ("Como foi a aula de ciências hoje?").

Quarto, *não interrompa.* Deixe seus filhos terem a oportunidade de acabar o que querem dizer. Talvez eles levem algum tempo para articular seus pensamentos e sentimentos. Não se precipite e não termine as frases por eles, mesmo que você já tenha entendido o que querem dizer. Seja paciente. É comum uma criança e mesmo um adolescente dar uma resposta muito longa para o que você considera ser uma pergunta simples (muitos adultos fazem o mesmo). Você pergunta o que aconteceu na escola esperando saber o que seu filho está aprendendo e ele passa 10 minutos relatando algo que aconteceu durante o recreio. Deixe-o terminar a história e espere um pouco para lhe perguntar especificamente o que você quer saber. Ao interromper seus filhos, você lhes dá a impressão de que não tem real interesse no que eles estão dizendo.

Por fim, *use da máxima sinceridade.* Não faça perguntas apenas por fazer. Seus filhos também lhe responderão apenas para dar respostas. Isso serve tanto para as respostas quanto para as perguntas. Por exemplo, se sua filha está lhe relatando um problema, não responda com evasivas ("Tenho certeza de que tudo dará certo"). Se o que está incomodando sua filha é importante a ponto de ela lhe falar, a questão merece uma resposta cuidadosa da sua parte.

Diálogo verdadeiro é sinal de amor e respeito.

"Não responda de volta"

Há algumas expressões que você deveria eliminar para sempre do repertório de respostas que utiliza quando fala com seus filhos. Uma delas é "Não responda de volta". Outras respostas semelhantes e terríveis quando eles perguntam ou manifestam suas opiniões são: "Você saberá disso quando for mais velho", "Se quiser a sua opinião, eu peço", "Cala a boca" e "As crianças deveriam ser vistas e não ouvidas".

Por favor, não use *nunca* essas expressões. Essas frases humilham, desvalorizam, cortam qualquer possibilidade de diálogo, criam filhos intimidados e incapazes de defender seus pontos de vista.

Se na maioria das vezes você trata seus filhos com respeito e demonstra consideração por suas opiniões, eles chegarão à conclusão de que haverá situações inevitáveis em que você terá de usar o seu critério para tomar a decisão que lhe parecer melhor, mesmo que ela contrarie o desejo deles. Isso pode ocorrer quando você estiver com pressa, quando uma decisão for complexa demais para que uma pessoa da idade deles possa compreender, quando você estiver estressado e sem paciência para uma longa argumentação ou quando você tiver certeza de que está com a razão e que fez o possível para explicar o seu raciocínio.

Nessas situações, o melhor a fazer é explicar, com calma e firmeza, por que você não pode ou não vai mudar a sua opinião.

Aqui vão alguns exemplos de como dizer que vai usar sua autoridade de mãe ou de pai para ter a palavra final de uma forma que mostre consideração e respeito por seus filhos:

"Entendo o que você está dizendo e já expliquei o que eu acho. Sinto muito, mas você vai ter que aceitar minha decisão." O fato de dizer que você ouviu e entendeu a opinião de seu filho, mas discorda dela, é diferente de dizer que ele não pode ter uma opinião diferente da sua.

"Preciso decidir isso rapidamente e não tenho tempo para discutir agora. Desta vez vamos fazer o que eu acho, e mais tarde conversamos a respeito para que da próxima vez eu possa compreender melhor seu ponto de vista." Dizer que a sua dificuldade é o tempo deixa aberta a possibilidade de você tomar uma decisão diferente da próxima vez, com base na opinião dos filhos.

"Sei que estamos pensando de maneira diferente, mas acho que você não percebe que a situação é muito mais complicada. Vamos conversar para que eu possa lhe explicar outros aspectos dela." Dizer que uma decisão requer mais informação ou experiência do que seus filhos possuem é diferente de dizer que não entendem a situação por serem pequenos ou adolescentes. O ponto aqui é o conhecimento e não a idade.

"Tive um dia bem ruim no trabalho. Queria que você me ajudasse fazendo agora o que estou pedindo. Quando eu melhorar, nós conversamos e eu explico." O ato de permitir que seus filhos se sintam úteis ao cooperar pode diminuir um pouco a tensão sobre a falta de acordo. Significa também que, em outras circunstâncias, a sua decisão poderia ser outra. Mas depois converse com eles. Caso contrário, pode parecer chantagem emocional.

O problema com "Não responda de volta" e suas variantes é que elas são expressões disfarçadas de que é errado e desrespeitoso discordar de alguém. Não é isso que você quer ensinar a seus filhos, e sim que as pessoas podem discordar e mesmo assim resolver suas divergências de maneira respeitosa.

Deixe seus filhos agirem de acordo com a idade que têm

Uma forma de respeitar seus filhos é permitir que eles ajam de acordo com a idade que têm. Isso exige que você respeite a fase de desenvolvimento que eles estão atravessando e resista à tentação de empurrá-los para a próxima fase. Deixe seus filhos desabrocharem no seu ritmo e no seu tempo.

É natural que você queira guiar a vida deles para que percorram o caminho da felicidade e do sucesso. Mas a função de mãe ou de pai não se restringe apenas a preparar os filhos para o que vai acontecer no futuro. Significa também permitir que aproveitem o momento atual. Deixe seus filhos agirem de acordo com a idade que têm. Eles crescerão mais rápido do que você pensa e sem sua interferência.

Seu bebê vai parar de mamar, vai aprender a usar uma colher, a andar, vai começar a falar e a pedir para ir ao banheiro no seu devido momento, sem precisar que você acelere as etapas para cumprir o que considera ser a programação "correta". As crianças se desenvolvem em ritmos diferentes e podem estar adiantadas em um determinado aspecto (por exemplo, a coordenação motora), mas atrasadas em outros (por exemplo, a fala). Deixe a criança seguir seu próprio ritmo. Se você se preocupa porque acha que seus filhos estão se desenvolvendo muito devagar durante a infância ou em qualquer outro estágio de crescimento, consulte o pediatra. Quase sempre ele lhe dirá que não há motivo para preocupação.

Deixe seu bebê aprender sobre o mundo permitindo que ele descubra o que existe ao seu redor. Não se preocupe em preparar seus filhos para a pré-escola; eles aprenderão o que precisam saber sem qualquer orientação especial sua. Seu filho de dois anos não precisa de cartões para estimular seu desenvolvimento intelectual. Aos dois anos ele precisa é de um ambiente seguro que possa explorar e de pais que fiquem felizes ao se sentarem no chão para brincar e se divertir com ele. Não transforme cada contato em uma aula. Ele aprenderá muito se você ler para ele todos os dias e lhe dedicar muita atenção.

Não obrigue sua filha pré-escolar a agir como um adulto. As crianças de quatro anos podem ser barulhentas, bagunceiras, desatentas e avoadas. Como pais, vocês aproveitarão mais essa fase e terão menos trabalho se forem alegres e se divertirem com ela.

A infância deve ser divertida. Sua filha será muito pressionada a ser séria e disciplinada quando for mais velha. Nesse momento, deixe-a agir como uma pré-escolar e não a force a se comportar como uma pessoa de 40 anos.

Permita que seu filho de oito, nove anos tenha bastante tempo livre para brincar. Não sobrecarregue seu dia com aulas, professores particulares e instrutores. É excelente poder tocar violino, sapatear ou chutar uma bola com efeito. Mas também é ótimo saber relaxar, se divertir sozinho e não fazer absolutamente nada. Tente conseguir um equilíbrio entre atividades programadas e não-programadas. A vida de uma criança de nove anos não deveria ser uma aula sem fim.

Deixe sua filha de 13 anos curtir sua adolescência. Ajudá-la a amadurecer gradativamente é bom; insistir para que ela aja como uma pessoa adulta não é. Os adolescentes muitas vezes extrapolam, fazem algumas loucuras, exageram na dose. Tudo isso é normal. Como mãe ou como pai, sua função não é sufocar essas tendências, mas fazer o melhor possível para proteger sua filha de algum perigo.

Não procure acelerar a passagem por um estágio de desenvolvimento para chegar ao próximo mais depressa. A infância não é uma corrida para ver quem chega à idade adulta primeiro.

Os filhos tratam os outros da mesma maneira que seus pais os tratam

O seu relacionamento com os filhos constitui os alicerces dos relacionamentos deles com as outras pessoas. Se você trata seus filhos com bondade, delicadeza e respeito, eles se tornarão pessoas interessadas, afetivas e carinhosas. Se você é insensível, distante e arrogante, eles provavelmente serão assim quando crescerem.

Isso não significa que os filhos que recebem uma educação

menos exemplar estarão automaticamente condenados a repetir os erros de seus pais. Significa apenas que as atitudes que serão naturais em pessoas criadas em um ambiente amoroso, firme e respeitoso irão requerer muito esforço naquelas cujos pais eram severos, indiferentes ou insensíveis. Certamente é possível superar uma infância difícil, mas não é fácil.

Em outras palavras, se você tratar seus filhos com respeito, você fará com que o resto de suas vidas seja muito mais tranqüilo. Para eles, será muito mais fácil fazer amigos, alcançar sucesso na escola e no trabalho, serem felizes no casamento e tornarem-se bons pais para seus próprios filhos.

Nada garante que uma pessoa vá ter boas amizades, romances satisfatórios, uma carreira bem-sucedida e uma vida familiar feliz. Mas o fato de crescer em um lar onde somos amados, orientados e respeitados aumenta, de maneira incrível, a possibilidade de termos todas essas coisas. Este é um fato comprovado.

Estou certo de que você conhece pessoas que foram criadas por pais cruéis, insensíveis e indiferentes, e no entanto se tornaram pessoas amáveis, sensíveis e bondosas. Tudo o que eu posso dizer é que essas pessoas são felizes exceções à regra. Não confie o futuro emocional de seus filhos à sorte.

Na busca por aquilo que ajuda as crianças a crescerem saudáveis, felizes e bem-ucedidas precisamos descobrir ainda alguma coisa que se compare a ter pais que amam, orientam e respeitam seus filhos.

Na sociedade não existe um emprego mais importante do que o de educar crianças, e nada, absolutamente nada, pode se equiparar à influência dos pais no desenvolvimento e na felicidade dos filhos.

CONHEÇA OUTROS IMPORTANTES TÍTULOS DA SEXTANTE

AUGUSTO CURY

Pais brilhantes, professores fascinantes

Esse livro falará ao coração dos pais e professores, ampliará para sempre a visão sobre como produzir uma educação excelente. Eles trabalham nos solos mais difíceis de serem cultivados: a inteligência e o território da emoção dos jovens.

O autor nos mostra que para fazer a diferença temos de adquirir os sete hábitos dos pais brilhantes e dos professores fascinantes. Além disso, ele chama a atenção para os sete pecados capitais dos educadores e ensina dez técnicas pedagógicas que podem revolucionar tanto a sala de aula quanto a de casa.

DOROTHY LAW NOLTE E RACHEL HARRIS

As crianças aprendem o que vivenciam

As crianças aprendem o que vivenciam vai ajudar você a refletir sobre o exemplo que está dando aos seus filhos. Ele traz ensinamentos fundamentais para que os pais ajudem as crianças a lidar com o medo, a hostilidade e a inveja, assim como a desenvolver a autoconfiança, a coragem, o senso de verdade e justiça, o amor e o respeito pelos outros.

CONHEÇA OS 25 CLÁSSICOS
DA EDITORA SEXTANTE

Um dia daqueles, Querida mamãe e *O sentido da vida*, de Bradley Trevor Greive

Você é insubstituível, Pais brilhantes, professores fascinantes e *Dez leis para ser feliz*, de Augusto Cury

O Código Da Vinci, de Dan Brown

Palavras de sabedoria, O caminho da tranqüilidade e *Uma ética para o novo milênio*, do Dalai-Lama

Os 100 segredos das pessoas felizes, Os 100 segredos das pessoas de sucesso e *Os 100 segredos dos bons relacionamentos*, de David Niven

Por que os homens fazem sexo e as mulheres fazem amor?, de Allan e Barbara Pease

Não leve a vida tão a sério, de Hugh Prather

Enquanto o amor não vem, de Iyanla Vanzant

A última grande lição, de Mitch Albom

A Dieta de South Beach, de Arthur Agatston

Histórias para aquecer o coração, de Mark V. Hansen e Jack Canfield

A divina sabedoria dos mestres e *Só o amor é real*, de Brian Weiss

O ócio criativo, de Domenico De Masi

Em busca da espiritualidade, de James Van Praagh

A vida é bela, de Dominique Glocheux

O outro lado da vida, de Sylvia Browne

INFORMAÇÕES SOBRE OS PRÓXIMOS LANÇAMENTOS

Para receber informações sobre os lançamentos da EDITORA SEXTANTE, basta enviar um e-mail para atendimento@esextante.com.br ou cadastrar-se diretamente no site www.sextante.com.br

Para saber mais sobre nossos títulos e autores, e enviar seus comentários sobre este livro, visite o nosso site: www.sextante.com.br

EDITORA SEXTANTE
Rua Voluntários da Pátria, 45 / 1.404 – Botafogo
Rio de Janeiro – RJ – 22270-000 – Brasil
Telefone: (21) 2286-9944 – Fax: (21) 2286-9244
E-mail: atendimento@esextante.com.br